「話し方」「伝え方」ほど人生を左右する武器はない！

櫻井　弘

三笠書房

はじめに

この一読で、あなたの人生がガラリと変わる！

――一生役立つ「話し方」のコツすべて教えます！

皆さん、こんにちは。「櫻井弘話し方研究所」の櫻井弘です。

本書を手に取っていただき、ありがとうございます。

これから、私の企業研修やセミナーでお話しし、お伝えしてきた〝「話し方」「伝え方」〟のエッセンスをすべてお教えしたいと思います。

「人に好かれる人」「人の心を動かす人」は皆、言葉の使い方がうまいものです。

そもそも、どんな仕事もコミュニケーションなくして成り立ちません。自分の考えを伝え、相手に「ＹＥＳ」と言ってもらったり、相手に何らかのアドバイスをもらったりするのにも、その人の「話し方」が重要なカギとなります。

それは、人生も同じです。「対人関係が良好なこと」は、充実人生を生きる上で絶対的な条件といえるでしょう。

ところが、

「話し方にどうも自信がない」

「沈黙が怖く、雑談も苦手」

「初対面の人に会うのが苦痛」

「伝えたいことの半分も言えない」

「もっと楽しい人間関係を築きたい」


と思っている人がたくさんいます。

しかし、こうした悩みは、本書でお教えするポイントを理解し、実践することで、必ず解消するでしょう。

結論から言いますと、本書の「話し方の授業」を実践すれば誰でも、信頼され、好かれ、物事を自分の思い通りの方向に持っていける人になれます。

なぜそう言えるかというと、いいコミュニケーションができないのは、必ずしも「心の持ちよう」に問題があるのでなく、自分の口から最初に発せられる言葉が原因になっていることが多いからです。

「自分と他人とのかかわり方」を決めているのは、「話し方」「伝え方」による部分が圧倒的に多いのです。

私は、「話し方」の指導に長年携わってきましたが、その中で、「劇的に人脈が広がりました」「人生がまったく変わりました！」と、こちらが期待していた以上の成果を多くの方から聞くことができ、「上手な話し方」の偉大な効果というものを実感してきました。

つまり、普段、無意識に口にしているワンフレーズを矯正したり、あるいは「口グセ」として気のきいた、〝いいひと言〟が口から出るようになるだけで、あなたの「他人とのかかわり方」は決定的に変わるのです。

それには、自己流ではなく、やはりちょっとした〝テクニック〟が必要です。

その結果、単に「話がうまくなる」だけでなく、あなたの周囲にたくさんの素晴らしい変化が相乗的に起こっていくでしょう。

そんなワンフレーズのマジックも、本書では具体的な事例をあげて、すぐに応用できるように紹介していきます。

「話し方」は、「実践学」です。

ぜひ、本書の「実践的な授業」を楽しみ、「話し方」「伝え方」という〝一生の武器〟を身につけていただきたいと願っています。

櫻井弘

もくじ

第2章 「好かれる人の聞き方」その巧みなツボ

——知っているようで知らない会話の心理

「初対面で心をつかむ人」このひと工夫

――なぜ「短い会話」でも印象に残るのか

第4章

「会話が続く、盛り上がる! 技術」これだけのことで!

──楽しい話題づくりから場をなごませるテクニックまで

第5章

「ほめる、謝る、主張する……」頭のいい方法

――「できる人」が実行している、この極意

第6章

「状況を思い通りに変える」会話術

——なるほど、その言い方があったのか!

第7章

ケース別・今さら聞けない「仕事の微妙な場面」での話し方

――ピンチを脱するための会話術

本文イラスト　高田真弓

編集協力　メイク・デイズ・ファクトリー
　　　　　清水由美子

第1章

誰でも必ず「話し上手」「伝え上手」になれる

――あなたの"評価""能力""魅力"はここでアップする

ヒント1

「楽しい会話」がいっぱいの人生を送ろう

◎こんな〝簡単なこと〟で変わります！

まずはじめに、楽しい会話をするための3つのポイントをお教えしましょう。

驚くほど簡単なことですが、このポイントを頭に入れておくだけで、あなたの「話し方」、ひいては人生も大きく変わっていくでしょう。

私は研修で次のように紹介しています。

か……簡潔に話す
い……印象深く話す
わ……わかりやすく話す

「か・い・わ」の三原則

原則❶ 簡潔に

絞り込んだ内容

原則❷ 印象深く

意欲のあふれる内容

原則❸ わかりやすく

よく消化した内容

「できる人」「好かれる人」の共通点は、話が簡潔なことです。

1つ目の「簡潔に話す」とは、「手短で、要点をついている」ということ。そのためには、「焦点を絞り込む」ことが大切です。焦点が絞り込まれていない話とは、「ピンボケ写真」のようなもので、メッセージが伝わりません。

2つ目、「印象深く」話す秘訣は、「話で絵を描く」「イメージに訴える」こと。意識して実践すればすぐ成果があらわれますから、あなたも今日から早速、ためしてみてください。

3つ目、「わかりやすく話す」の「わかる」とは「分ける」こと。分けて整理された話は、わかりやすい話になり、相手を満足させ、結果的にあなたの評価を高めます。


私たちは聞くこと、話すことは、成長する中で自然に覚えていきますが、スキルが必要な「会話」については、学校でも学びません。しかも会話には、正解がありません。だから不安に感じたり、苦手意識を持ったりすることもあるでしょう。

でも、「会話」によって、相手の意外な一面に気づいたり、新しい発見をしたりもできるのです。もっと、会話の楽しい可能性を広げていきたいものですね。

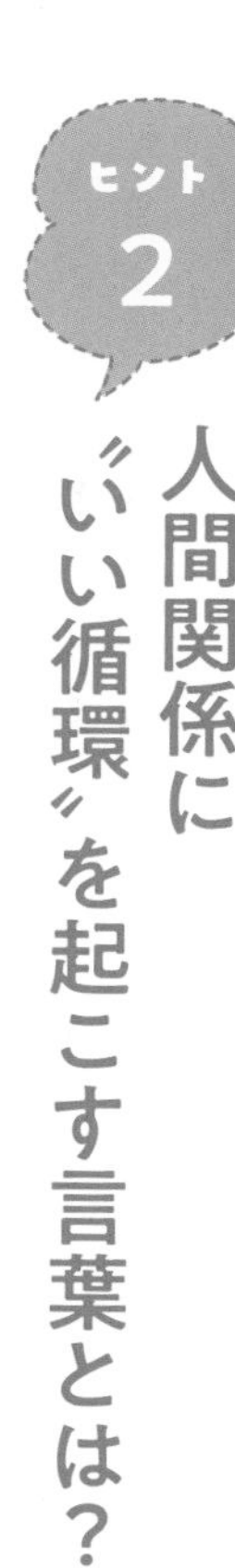

人間関係に〝いい循環〟を起こす言葉とは？

◎こんな「プラス言葉」でネガティブ気分を即、変換！

ここで質問です。

「言葉」は、何をいちばん伝えるものだと思いますか？

情報？　事実？　いや、言葉は「気持ちを伝える道具」です。

興味のない話題が出たときに、「私、それにはあまり興味がないんです」などと言う人は、たしかに事実を伝えていても、ちょっとつき合いにくいもの。

一方、「へ～、そうなんだ」「面白そう」「新しい知識が増えてラッキー」という気持ちが伝われば、相手はあなたに好感を持ちます。

伝える内容は同じでも、ネガティブな言葉を使えばネガティブな気持ちが、ポジティブな言葉を使えばポジティブな気持ちが伝わるものです。

一つ例をあげます。営業マンのAさんが得意先でのちょっとしたトラブルについて、部長に報告しています。

Aさんは緊張しやすいタイプです。気むずかしいと評判の部長の前で、つい口ごもってしまいました。

すると部長はムスッとして、

「それで？　君の話はいつも長くて、結論がさっぱりわからん！」

と一喝。

これでは職場のコミュニケーションはスムーズにいきません。

「もう少し落ち着いて、順序立てて詳しく話してくれないか」

などと言ってあげれば、部下は冷静に考えをまとめられ、うまい善後策なども出てくるかもしれません。

言い方ひとつで状況は180度違ってくる!

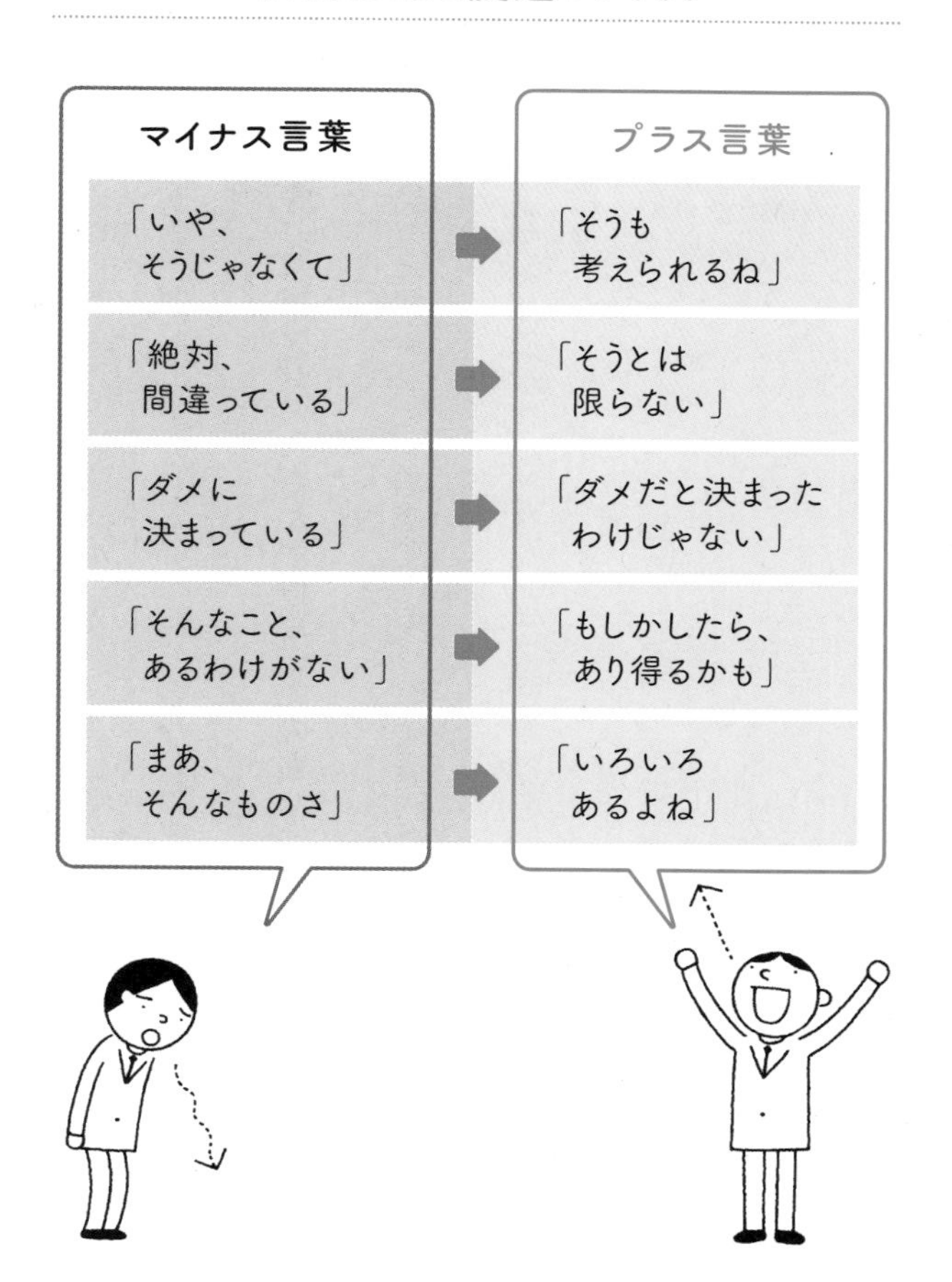

このように普段からマイナス言葉が口グセになっている人は、考え方もネガティブになり、暗い空気をまき散らします。その結果、その場の雰囲気も悪くなってしまいます。

これでは周囲の人の信頼を得られず、仕事もいい成果が出るわけがありません。

前ページに「マイナス言葉↓プラス言葉」の言い換え例をまとめました。これらの言葉を自分の心の引き出しにストックしておきましょう。

そして、ネガティブな言葉が浮かんだら、「プラス言葉に、即変換！」を習慣にしてください。

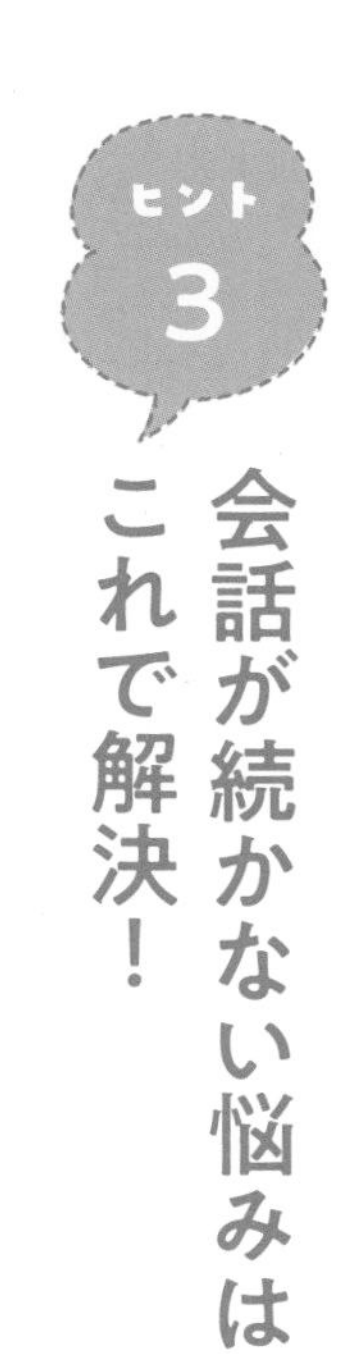

会話が続かない悩みはこれで解決！

◎「話の通りがよくなる」ちょっとしたひと言

説明や説得のため、またもっと会話を深めるためにも、「話を具体的なイメージで伝えるための言葉」を覚えておくと、とても役に立ちます。

次のケースは研修会で、参加者同士で自己紹介し合った後の会話です。

「今日はどうして、ここにいらしたのですか？」

と質問されたKさんは、こう答えました。

「上司から出席することを勧められまして……」

これでは相手が「ああ、そうですか」と答えたところで会話は途切れてしまいます。相手の関心を誘わないからです。そこで、そのあとに、「というのも」と続けることを口グセにしてほしいのです。そうすれば、その後、より突っ込んだ具体的な内容を話せるので、会話が深まり、広がっていきます。

「上司から出席することを勧められまして……」

「今日は、上司から出席することを勧められて来ました。というのも、最近、管理職になったのですが、部下とどうつき合っていいかわからなくて悩んでいたからです」

もう一つ、同じような言葉に「**なぜならば**」「**なぜかというと**」のように、理由や根拠を加えていく言葉があります。これによって、伝えたいことの意図が、より明確に相手に届きやすくなります。

「今日、会社で、部下を注意しましてね。そうしたら部下のほうは、『今まで注意されなかったから、悪いことと思わなかった』なんて言うんです。いや、なぜそんなことを言ったかというと、どうも若い部下の気持ちがわからなくって。佐藤さんのような若手経営者の方から、アドバイスをいただけたら嬉しいと思っているんですよ」

このように自分の経験を話した後で、「なぜそう言ったかというと……」と理由を述べれば、相手と共通する話題に導くことができます。

コミュニケーションがうまくいかない場合は、会話が中途半端で、こちらの意図が相手に伝わっていないことが原因ということも多いのです。もっと自分の気持ちをきちんと述べて、相手に話してもらいたいことの核心をつくことで、相手もより話しやすくなるでしょう。また、さらなる会話の糸口もたくさん見つかってくるはずです。

左の例は相手の趣味についての質問です。「残念な例」では漠然としすぎているのですが、「改善例」のように聞くと、「最近読んだ本の中で、ミステリー初心者にも勧められる本」に限定されるので、聞かれたほうも答えやすく、話題が広がる可能性が大いにあります。

残念な例

「田中さんは、いろんな本を読んでいらっしゃいますよね。最近はどんな本が好みなんですか？」

改善例

「田中さんは、いろんな本を読んでいらっしゃいますよね。最近はどんな本が好みなんですか？　いや、なぜそんなことを聞くかというと、通勤時間中にミステリーでも読もうと思って。読みやすくて面白いお勧めがあれば、と思いまして」

7割の人が勘違いしている「話し方」のツボ

◎「相手がいちばん話題にしたいこと」をキャッチする

あなたは、「話し方で自分は損をしているな」と感じたことがありませんか？

話し下手というほどではなくても、

「自分は、どうも初対面で印象がよくないようだ。話し方に原因があるのかも」

「もっと気がきいたことを言えたら会話がはずんだのに」

と思っている人は多いようです。


私のセミナーや企業研修を受講する方たちから、特によく出る悩みは、「話がはずんでいるときはいいけれど、話題が途絶えてシーンとしたりすると、困ってしまう」

というものです。

「何か話さなければ」「気のきいたことを言わなければ」と焦る。その結果、ピントがズレたことを言って、「あの人は空気が読めない」と思われてしまったり……。

こんな残念なことにならないためには、どうしたらいいのでしょうか？


会話の基本は、まず相手の話を「聞く」ことからはじまります。


「聞く」なんて簡単だ、その先の会話が続かないから困っているのに、という声が聞こえてきそうですね。

私は上手な話し方のコツを教えるセミナーを開講していますが、その参加者の中でも、最初から相手の「言いたいこと」をきちんと聞き取って、的確に応答できる人は、約3割にすぎません。7割の人は、相手の話を「自分に都合のいいように」解釈してしまうのです。

「今日は聞き上手になる練習です。聞くことに集中してください」と言って、やっと4割くらいの人が、しっかり聞けるようになります。

中でも、いちばん多い失敗は、相手の話を勝手に自分の興味のあるほうへ引っ張ってきてしまうことです。

先日、ランチに入ったお店でのことです。隣の席の女性グループの一人が「今朝、電車が遅れて遅刻しそうになったの」と、ぼやいていました。

「私が利用している電車は、よく遅れるの。今月は事故や信号故障で、もう3回も途中で足止めされてしまったのよ」

「そうなの？　でも、私が利用している私鉄も強風に弱いみたいで、よく止まるのよ。この間もちょっと強い風が吹いたら……」

どこが勘違いなのか、わかりましたか？

話し手は自分が通勤電車で困った話をしたかったのに、相手は、話題を横取りしてしまっています。

会話の基本は、相手のいちばん話題にしたいことをきちんとキャッチし、そこに反応してあげること、これを間違うと、会話は尻すぼみになり、あなたの印象もグッと悪くなってしまいかねません。

このときの対応は、

「え、3回も？　そんなに遅れるなんて、大変ね」

これでいいのです。

ワンランクアップ例

「電車が遅れると、本当に困るわよね。今朝も○○さんがいつもより遅いから、心配していたのよ」

会話がはずまないときの脱出法

◎これで、どんな話題にも対応がOK!

会話をはずませるコツは、前項で述べたように、相手が話題にしたいことや興味のある話に、会話の流れを持っていくことです。

ところが、相手が乗り気で話しはじめた話題は、自分にはまったく興味のないことで、どう話をつないでいいかわからないものだった……。

こういうことはよくありますね。

たとえば相手が最新の話題の映画について話しはじめました。しかし、あなたは最近、映画をほとんど観ていません。

こういう場合、どうしたらいいと思いますか?

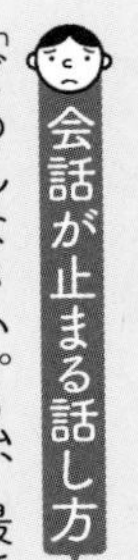

「ごめんなさい。私、最近はまったく映画を観ていないんで、その映画、知らないんです」

「僕、ホラーは好きなんですけど、他はあんまり観ないんですよね」

改善例

「面白そうですね。どんな映画なんですか？」

「今まで、そういうジャンルはあまり関心がなかったけれど、ずいぶん話題になっているんですね」

多くの人は、自分がよく知らない話題を避けてしまいがちです。「それについて、うまく話せない」という苦手意識や無関心が先に立ってしまうからでしょう。

しかし、そんな場合は相手の話を、ただ聞けばいいのです。

今まであまり関心がなかったけれど、ぜひ詳しく知りたい！　という気持ちをアピールすれば好感度大です。

そのとき、「面白そう！」「観てみたい」など、あなたの気持ちをあらわす言葉をプラスアルファすると、印象はもっとよくなります。「自分の興味のあることを人に教える」というのは、誰にとっても優越感にひたれる嬉しいことなのです。

聞くほうにとっても知らない知識に触れるチャンス！　積極的に聞きましょう。つまり「自分が知らない話」こそ、相手との関係を深めるチャンスなのです。

ワンランクアップ例

「面白そうですね。ぜひ詳しく教えてください」

「今度、ぜひ観てみたいと思います。どんなところが見どころか、教えていただけますか」

ヒント 6

たった「2語」で説得力が大幅アップ

◎「魔法のログセ」を使って自分のことを話すと……

説明力、説得力に、どうも自信が持てない、自分の会話はなぜか盛り上がらず尻切れトンボになりがちだ、という人がいます。

口下手というわけではないのですが、話し方にインパクトがないので、仕事では、会議や商談のプレゼンがうまくできず損をしてしまったり、友達との雑談でもなかなか自分の話ができなかったりする……。

そういう人にお勧めの処方箋があります。それは、**具体的なイメージがわく言葉を使うこと。**

特に説明力、説得力アップに効果大の言葉は、「たとえば」と「ひと言で言うと」

のたった2語。
これらの言葉を入れるだけで、伝えたいことのイメージを具体的に、わかりやすく簡潔に伝えることができます。

次は、自己紹介で自分の性格について話をするときのケースです。

◎魔法のログセ1「たとえば」

「たとえば」の後に続くのは「具体的なエピソードや例」です。相手には明確なイメージが浮かび、話し手がもっとも理解してほしい〝ニュアンス〟が伝わります。

「私は夢中になると、ついのめり込んでしまう性格なんです。それが長所でもあるのですが、ときどき思いがけない失敗をしてしまうことがあります。

たとえば、先日、気になるデータがあったので、いったいどういうことかとずっと調べ物をしていました。やっと疑問が解決したと思ったら、もう夜の11時過ぎ。周囲にはいつの間にか誰もいません。終電に間に合うように、あわてて帰った次第です」

◎魔法の口グセ2「ひと言で言うと」

「ひと言で言うと」という言葉で話をはじめることで、自分が言いたいことを要約する習慣がつくとともに、相手にはもっとも大事なことを「もうひと押しする」効果があります。

「**ひと言で言えば**、それだけ一途になってしまうことが、私のアピールポイントだと思います。やりすぎてしまうところもありますが、意欲だけは誰にも負けないつもりです」

どうです？　状況がイメージとして明確に浮かんできて、しかもアピールポイントがしっかりと伝わります。一石二鳥のこの2つの言葉を、ぜひ口グセにしておきましょう。

ヒント7

あなたの印象を悪くしている こんな「意外な言葉」

◎あなたの言いたいことはきちんと伝わってますか?

会話の最初に言うと、危険な言葉があります。

代表的なのは、次にあげた「だから」という言葉。丁寧に「ですから」と言っても、悪印象なのは同じです。

「**だから**、何度言ったらわかるの!」

「**ですから**、先ほどからご説明させていただいている通り、このことは、こちらの資料に載っておりますので、ご覧になっていただければわかるはずなんですが」

そもそも「だから」は順接の接続詞で、先に述べた内容をうけて、自分の主張が正しいことを示す意味合いがあります。

本来は、説明をわかりやすくするために使われる言葉ですが、場合によっては、言った人の印象をグッと悪くしてしまいます。

今、あげたような状況で使うと、〝相手がなかなか理解してくれないので繰り返して言ってあげている〟というニュアンスが含まれてしまうのです。

しかし、無意識のうちに、「だから」が口グセになっている人は、意外と多いものです。

忙しい現代社会の中で余裕をなくして、「なぜ、わかってくれないのか」「まったく、ものわかりが悪いんだから。何回言わせるの？」と相手を責める気持ちが、心のどこかにあるのかもしれません。

そういったイライラした気持ちが相手に伝わると、相手はいい気持ちがしないでしょう。

敬遠されたり、信頼を失うこともあるかもしれません。

「伝わらない」のは自分のせい？
——「人差し指理論」で考える

前ページに図であらわしましたが、「人差し指理論」と呼ばれる考え方があります。伝える気持ちとは、今、話している相手に向けたものですね。そこで相手を人差し指で差してみると、その指は相手を向いていますが、他の中指・薬指・小指の3本の指は自分に向くことになります。

3本指は、「尊重」「理解」「認識」です。

つまり、「伝えよう、伝えよう」と、1本指で相手に言葉を投げかけるのではなく、「伝わらないのは自分のせいだから、表現を変えなければ」と、発想を変え、人さし指以外の3本の指も「相手」のほうに向けることが大事なのです。

「だから……」と、いらつく前に、どうしたら相手にきちんと伝わるかを考え直すようにしてみましょう。

会話を盛り上げるイキイキ「質問力」

◎「聞くこと」プラス「要約力」を磨こう！

相手の話を聞くときも、より具体的な話を導き出せれば、会話の内容が深まり、お互いの理解度、親密度が増していきます。そのために必要なのは、

「それはどういうことでしょうか？」

「いったい、どうしてですか？」

こういった理由や詳細を聞く質問を相手に投げかけること。

つまり「質問力」です。

質問をする際に有効な「5W2H」を知っていますか？

When……いつ？
Where……どこで？
Who……誰と？
Why……どうして？　なぜしたのか？
What……何を？（得た、感じた、など）
How to……どんな方法で？
How much（many）……どれくらい？（時間、手間、金額など）

これらは相手と論理的な話をするために必要なものです。ただし、使いすぎると尋問のようになってしまいます。そこでぶしつけにならないよう、相手の反応を見ながら、無難な質問からしていくといいでしょう。

先日、スペイン語を習っているという30代の女性と出会いました。

そこで私はさっそく、5W2Hを会話に入れながら質問してみました。

「いつから習いはじめたんですか？」

「なぜスペイン語を選んだのですか？」

「仕事が忙しいのに、語学の勉強が続く秘訣は何ですか？」

「1日に、どれくらいの時間を勉強にあてるのですか？」などなど。

その結果、この女性は子どもの頃からインカ帝国に強い憧れを持っており、遺跡のある南米ペルーをぜひ訪れたいと思っていること。また、できれば長期滞在したいので、早起きして、現地の公用語であるスペイン語を毎朝30分、必ず勉強しているのだということがわかりました。また、インカ帝国をしのばせる世界遺産マチュピチュのことにも話題は及び、思いがけず豊かな時間を過ごすことができました。


また、会話に大切なのは質問力とともに**「要約力」**です。

相手の話がまとまっていないときなどは、**「なるほど、それはこういうことですね」**などと、相手に代わって要約してあげるといいでしょう。

すると相手から、「そう、それに近い感じです。ただそれだけではなく、こういうこともあるんですよ」と、より明確な答えが返ってくる場合もあります。

会話は聞くことが中心、とはいえ、話題の方向を相手まかせにせず、積極的に話に参加すること。それでこそ、実り豊かな会話にすることができるのです。

「不満でいっぱい」状態の私が大変身したとき

「気のきいた話」ができなくてもいい

私がまだ、今の仕事に就く前のことです。自分の話を「まるごときちんと受け止めてもらう」ということを、初めて体験しました。それは、私の大切な思い出です。

当時、勤めていた外資系メーカーが合併し、私は新会社へ出向になりました。まだ企業同士の合併が珍しかった時代です。

予想はしていたものの、新しい会社では何もかもが異なりました。書類の書き方も会議のやり方も、会社としての文化そのものが違っていました。営業職だった私は、社内でのコミュニケーションが思い通りにならず、ストレスから胃が痛くなり、点滴を打ってから仕事に出るという状態でした。

そんなとき、総務部長から一緒に飲もうと誘われたのです。合併先の会社から来た、かなり年上の、非常におっとりとした印象の人でした。

日頃の鬱憤(うっぷん)からカリカリしていた私は、ここぞとばかりに言いたいことを言いました。「会社のここがおかしい！」「今すぐ改善すべきでしょう！」と、今思えば、かなり激しい口調でした。

ところが総務部長は、何も言いません。ただ黙って、うなずきながら私の話を聞いているのです。そして私が思っていたことをすべて吐き出し終わったとき、ニコニコして目を細め、ポツリとひと言、つぶやいたのです。

「そうか。何か一生懸命でかわいいな、櫻井さん……」

この瞬間、私はたまっていた不満が、一気に消えたように思えました。なぜこんなことにイライラしていたのだろうとさえ、思ったものです。

「自分の言い分をすべて聞いてもらえた」「気持ちを理解してもらえた」という体験が、どんなに素晴らしい効果をもたらすかを、私は初めて実感したのです。

この日を境にして、徐々に私は小さなことでイライラしなくなり、職場の人間関係も良好になっていきました。

エレベーターには「閉じる」ボタンと「開く」ボタンがあります。日本では「閉じる」ボタンだけが、すぐにすり減ってしまうという話を聞きました。待つ余裕のない現代人の心を反映しているのでしょう。

会話でも、人が話すのを待って聞くことができない人が、特に最近、多いようです。誰かが話しはじめると、「私もそう」「それ、知ってる」と、割り込んでくる。でも、それでは会話にならないし、話し出した人は面白くありません。

自分からどんどん楽しい話を提供しなければ、嫌われてしまう。気のきいた話をしなければ、つまらない人間に思われてしまう。そんな心配は、実はまったくする必要はありません。

まずは「よい聞き手になる」こと。

話をさえぎらず、最後までしっかり相手の言葉を受け止めて共感する。そんないわば脇役になれる人こそ、私は「魅力的な話し上手」だと考えています。

第2章

「好かれる人の聞き方」その巧みなツボ

──知っているようで知らない会話の心理

ヒント1

話がはずむ「あいづち」、しぼませる「あいづち」

◎「また会いたい！」と思われる人のキメの〝ひと言〟

自分の話に、相手がテンポよくあいづちを打ってくれると、話がはずんで、気持ちがいいものですね。

「あいづち」は会話の潤滑油なのです。

とはいえ、「うん」「うん」と首を縦に振るだけのあいづちや、判で押したように同じような言葉を繰り返すだけでは芸がありません。話をするほうも相手はちゃんと自分の話を聞いてくれているのか不安になります。

あいづちの名人とは、「ただ話を聞いてあげただけなのに、相手に〝今日はあの人と話せて楽しかったなあ〟と思われる人」です。

あいづち上手のポイントは「同・共・促・整・転」で！

同意

「そうですね」「そのとおり」
「同感です」「なるほど」

共 共感

「大変ですね」「心配ですね」
「頑張りましたね」「苦労しましたね」
「わかります」

促 促進

「というと？」
「それから、どうなりました？」
「その後はどうですか？」

整 整理・要約

「つまり〜ですね」
「というのは〜ということですね」
「ひと言で言うと〜ということですね」

転換

「ところで」「そういえば」

前ページに、あいづちの種類を表にまとめておきました。

頭の文字をとって、「同・共・促・整・転」と覚えておくといいですよ。


これら5種類のあいづちの他に、「**賞賛・承認のあいづち**」があります。

賞賛　「たいしたものですね」「素晴らしいです」「うらやましいです」
承認　「面白そうですね」「さすがです」

賞賛のあいづちは、相手が内心、「評価してほしい」と思っているところを見つけて言うと、効果的です。

「そういう考え方ができるって、素晴らしいですね」

「お若いのに立派な家を建てられて、うらやましいです」

また承認のあいづちは、相手が「人に教えたい話」をしているところで使います。

「それは初めて知りました。面白そうですね」

いずれも、相手を喜ばせることができる言い方です。

ヒント 2

相手の機嫌を損ねずに話題を変えるには？

◎「つまらない話」からも新しい切り口を発見できる！

前項で紹介した、いろいろな種類の「あいづち」のうち、注意が必要なのは「転換のあいづち」です。

話題を変えたい場合は「ところで」「そういえば」という「転換のあいづち」で、話を別の方向に切り替えていきます。

ただし相手が話しているのに、強引に違う話題に切り替えようとすれば、相手は気分を害するでしょう。

そこで覚えておいてほしいのは、「YES・BUT法」です。

相手が言ったことを、いったん「ＹＥＳ」と受け止める。

「**なるほど、あなたの言いたいことは～ですね**」

その上で「ＢＵＴ」と、今度は自分の意見や考えを述べます。

「**しかしながら、私は～と考えます**」

「**そう、その話、よくわかります。けれど、今、思い出したのですが……**」

このように、ワンクッション置いてから話題を転換すると、相手は「話を受け止めてもらえた」と感じ、気を悪くしないわけです。


相手が「よく聞く話」や「自分と関係なさそうな話」をしていたら、早速、話題転換したくなるのはわかります。こんなとき、「ＹＥＳ・ＢＵＴ法」は役立つのですが、ちょっと待ってください。話題を変える前に、何かその話から収穫できることはありませんか？

実は、**話題を一般化・普遍化すること、新しい切り口にすることで、ありきたりな話、つまらない話からも新鮮な発見ができる場合があります。**

上司が、営業の現場に出ていた頃の聞き飽きた武勇伝を話しているとき。

「そういえば同じようなことで、松下幸之助の本に、こういう事例がありましたね」とビジネスマンの仕事術という話に普遍化する。

一つの食材が調理法によってさまざまな味に変化するように、切り口次第で平凡な自慢話も貴重な教訓に変化するわけです。

普遍化や一般化をするとき、大切なのは「直線軸」と「水平軸」で物事を広げてみることです。

直線軸とは「**時間**」です。たとえば上司の30年前の武勇伝から、今の時代の仕事術に通用する普遍的な要素を見つけてみる、戦国時代の武将の兵法の話を現代のビジネスにあてはめてみる、など。

また、水平軸というのは、「ある関係と他の関係の**共通点**を見つける」こと。上司と部下の関係の話を親子関係にあてはめてみる、スポーツのチームプレーの話を仕事にあてはめてみるなど。

やや高等なテクニックですが、試してみてください。

こうするだけで！ 相手の「本当の気持ち」がつかめる

◎「同じ話を繰り返す人」の心の奥底の心理

会話は相手との「気持ち」のキャッチボールです。
常に相手を「肯定」して、「相手を受け入れる言葉」を返していくこと。
そうすることで、相手は安心して、心を開いてくれるのです。

簡単に言えば、**「いいね」「わかる」「なるほど」「さすがだな」「気がつかなかった」「すごいね」**など相手を肯定し、認める気持ちをこめた反応です。あいづちを打つことで示す場合もあります。

まずは、相手の言葉に「肯定のサイン」を送りましょう。お互いが心をオープンにして話せば、会話はどんどん楽しいものになるはずです。

つい先日、20代の女性が話してくれたエピソードです。

彼女は就職を機に上京し、ひとり暮らしをしているのですが、故郷の父親と話をすると必ず、彼女が小学生の頃、2人で一緒に遊園地に行ったときの話になるそうです。

いつも同じ話なので、いちいちあいづちを打つのも面倒くさいと、ずっと思っていました。けれども、あるとき電話で母親と話していたら、こう言われたそうです。

「お父さん、現役の頃は仕事が忙しかったからねえ。あなたと2人で出かけたことなんて、そのときくらいしかなかったから。お父さんの中ではいちばん楽しい思い出なのかもしれないわね」

お父さんは、すでに仕事を引退しています。時間ができたので娘とゆっくり話したいけれど、話題は結局、2人で出かけたときの思い出になってしまう……。

彼女は、いつも繰り返される話の背景にある、お父さんの気持ちに思い至りました。

そして、今までの自分の態度を反省したそうです。

彼女は、次にお父さんと話したとき、こんなふうに言ってみました。

「あのときは本当に楽しかったね。今度、あのときみたいに2人で出かけてみようよ。お父さんは、どんなところに行きたい?」

それ以来、帰省したときには、たまに2人で飲みに行くような、仲のいい父娘関係が続いているそうです。


両親や友人、上司など、「ああ、またこの話題か」と、同じ話を繰り返す人が、あなたのまわりにもいませんか?

でも、「なぜ、結局いつも、その話題になってしまうのか」と考えてみてください。

「そうか、この人はこのエピソードを、かけがえのない大切なものと考えているんだな」と、相手の心の奥底が見えてくるかもしれません。

相手の話は、心をオープンにして、肯定的に聞くこと。相手の背景にあるものを考えることで、相手を見る目も変わってくるでしょう。

楽しい雰囲気づくりが上手な人の習慣は？

◎楽天的に聞くと、まわりの人も幸せになる

その人がそこにいるだけで、その場が明るく楽しい雰囲気になる。あなたのまわりにもそんな人はいませんか。このタイプの人は人望を集め、何かと得をしますし、うらやましく思われることも多いはずです。

でも、ちょっとしたコツを知れば、楽しい雰囲気づくりはそんなに難しくはないのです。コツの一つは、自分が楽しさを発信するだけでなく、「**楽しくなるように聞く**」ことです。

あるとき、仲良し3人組の女性のうち1人が結婚し、2人の友人が新婚家庭に遊び

に行きました。ご主人の趣味は料理ということで、凝った手料理をふるまってくれたそうです。どれもとても美味しくて、2人の友人は口々に、

「あなたのご主人のお料理、本当に美味しかったわ。いいご主人を持ったわね。うらやましいわ」

とほめました。

ところが新婚の女性は、そのとき少し元気がなかったそうです。心配した友人たちが理由を尋ねると、その女性はぽつりと、

「私、そんなに料理が下手かしら……」

結婚以来、いつも料理上手なご主人と比べられて、彼女はコンプレックスを持ってしまっていたようです。友人たちは、もちろんそんなつもりではなかったのに、後味の悪い思いをしたそうです。


せっかくの楽しい雰囲気も、マイナスにとらえる人がいると、まわりの人の気分まで暗くなってしまいます。

誰かに何か言われたとき、「もしかして、今の言葉にはウラの意味があるのでは?」

などと考えはじめると、どんどん気持ちが後ろ向きになってしまうもの。

相手の話は、いつも「プラスに聞く」習慣をつけましょう。


実は「プラスに聞く」ということのお手本を示してくれるのが、私の妻です。

ある日、我が家で妻と、30年ほど前の私たちの結婚式のときのビデオを見ていました。ビデオの中の妻は、緊張のためか、気丈に振る舞っているように見えました。

でも、そもそも妻は若い頃から気が強い性格で、これはずっと変わっていないのだなあ……。そう思って、しみじみと言ったのです。

「君はあの頃と、全然変わってないなあ」

すると、とたんに彼女は上機嫌になって、鼻歌など歌いながら、いそいそとお茶の用意をはじめました。妻は容姿のことを言われたのだと思ったのです。

幸せな誤解？　ですが、「プラスに聞いておく」ほうが、自分も周囲も楽しくなごやかな雰囲気になるということがおわかりいただけたと思います。

日頃から、ほめ言葉は素直に聞くこと。そして、ほめられているのか、けなされているのか悩むときも、できるだけいいほうに受け取ることを心がけたいものです。

「話す」より「聞く」ことを常に優先する

◎相手の言葉のウラのウラにある本心を読みとるために

タクシー運転手の方に聞いた話ですが、彼らは運転するとき、運転席の窓を少し開けて走っているそうです。そのほうが、外の音に敏感になれるからです。

窓を閉め切っていると、外の状況が伝わりにくいもの。最近はエンジン音なども静かになり、他の自動車が近づいてきても、すぐ脇にくるまで気づかないことも多くあります。しかし窓を開けていれば、かすかな音にもすぐ気づけます。

会話もこれと同じです。いつも心をオープンにし、「ゆとり」を持って相手の言葉に耳を傾けることで、相手の感情の変化や言葉のウラにある本心に気づくことができるのです。

第1章でも述べましたが、会話の順序は「聞く→話す」。

常に「聞く」ほうが、「話す」よりも優先です。

次ページに、あなたが「どれくらい人の話を聞いているか」を知るためのチェックシートがありますので確認してみましょう。

会話はキャッチボールですが、人によっては〝取りにくい球〟を投げてくることもあります。

また、自分と正反対の考え方の人だったり、批判めいたことを言ってきたりする人もいるはずです。

それでもまずはきちんと受け止めて、誠実に対応することが大切です。

1. **頭の回転が速い人に多い問題**
　　——しっかり確認することが大切
2. **自分との共通点を探す**
　　——興味のある話題なら頭が働く
3. **相手のいい点を見つける努力を！**
　　——思いがけない共通点が見つかることも
4. **話し手は聞き手に大きく影響される**
　　——自分の「聞き方」はどうだろうか
5. **自分の言いたいことだけ話すと話は平行線に**
　　——まずは相手の話をよく聞くこと
6. **話をさえぎるのは「CUT」すること**
　　——「CUT」（カット）になったら話はおしまい
7. **その人の器の大きさは「聞き方」にあらわれる**
　　——相手から学んで自分の器を大きくしよう
8. **こういうことは、今後もたくさんある**
　　——自分との「違い」を知るのもまた新たな発見になる
9. **話す側は聞き手の態度が気になるもの**
　　——目から入る印象に気をつけて
10. **正確に聞く**
　　——「確認」と「質問」で誤解は防げる

あなたは相手の話を
きちんと聞いてますか？

		しばしば	めったに
1	早とちりをして相手の話を聞き間違えてしまう		
2	話を聞いていると、眠くなったり、頭がぼんやりしたりする		
3	話している相手が嫌いな人だと、つい心を閉ざしてしまう		
4	相手が話し下手だと、話を聞くのが面倒だ		
5	自分が何を話すかで精一杯で、相手の話が聞けない		
6	自分が先に話したくて、相手の話をさえぎることがある		
7	相手の話に興味がなくて聞く気になれなかったことがある		
8	「自分とは考え方が違う」とわかると、それ以上、話を聞きたくない		
9	人の話を聞くとき、つい腕組みをしたり、無表情になったりする		
10	相手の話の内容にわからない部分があっても、質問・確認をしない		

※「しばしば」に○がついた項目は、特に気をつけましょう

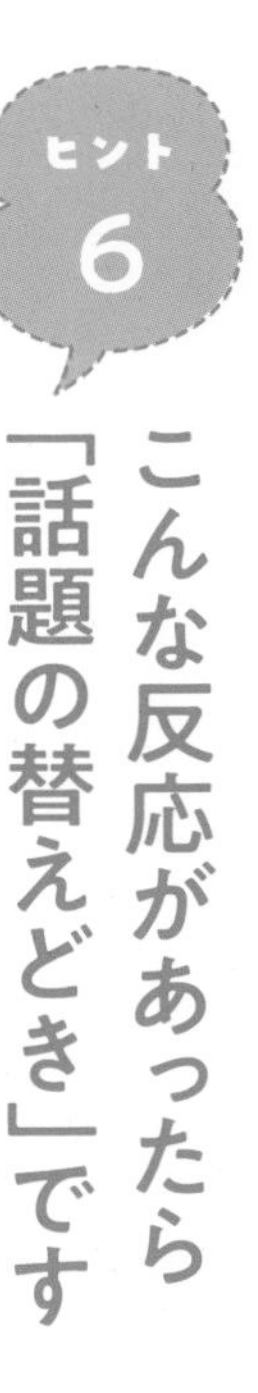

こんな反応があったら「話題の替えどき」です

◎「まばたき」はバロメーター

自分がよく知っている話題のときには、話が尽きないもの。ところが、ふと気づくと、自分だけが夢中でしゃべっていて、まわりの人は上の空……。

こんなバツの悪い経験、ありませんか？

話が興に乗ってきたときこそ、相手の様子をチェックしてください。

相手は、その話を聞きたがっているでしょうか？

飽きていないでしょうか？

あるいは、その話は相手にとって避けたいもので、話題を変えたがっていませんか？

相手の気持ちを知るためには、「言外の情報」も重要になります。

いちばんわかりやすいのは「**表情を読むこと**」です。


私は雑誌などの取材を受けているとき、できるだけインタビュアーの方の表情を見るようにしています。

皆さん仕事ですから、少しでもこちらを乗せて、いい話を引き出そうと、「面白いですね」とか「勉強になります」とか言ってくれます。

でも表情を見ていると、ときには「この話、使えるかなあ」「ちょっとテーマとずれているかも」「話、長いな」などと思っているのが、見て取れます。

そんなときは、「もう少し具体的にお話ししましょう」と補足説明したり、「こんな話題はどうですか？」と、話題を転換したりするようにしています。


慣れれば、一瞬の表情の変化で相手の心の動きはすぐわかるようになります。中でも手がかりになるのは「**まばたき**」です。

これは私が在籍していた「話し方研究所」でも実験したことがあります。講師2人での会話の様子を撮影して、後で検証してみたのですが、ベテランの講師でも同じ話題をずっと話している場面では、まばたきの数がだんだん多くなりました。録画を観て、「私、こんなにまばたきをしているんだ」と驚いた講師も多くいました。

表情以外にも、そわそわして落ち着かない、ちらっと時計を見たりする、など相手の気持ちを読み取る手がかりはいろいろあります。

相手が会話を続けたくないのに話し続けても、当然ながら、相手にいい印象は残りません。

常に相手を観察しながら話す余裕を忘れたくないものです。

相手が「自分のこと」を話しはじめたら、共感している証拠

◎その感想は「具体的」か

この話題、相手は興味があるだろうか？　と心配になったとき、ヒントになるのは、相手の「沈黙」です。

1回や2回、相手が沈黙しても、それほど気にする必要はありません。

私は「話題発見のために3秒、沈黙する余裕を持て」と指導しています（93ページ参照）。つまり、相手が一生懸命に質問を考えていたり、考えをまとめていたりするのなら、沈黙は気にする必要はないのです。

問題は、相手が何度も沈黙してしまって会話が途切れ途切れになったり、「質問したのに答えが沈黙」だったりした場合です。

そういう場合は早々に会話を切り上げるか、話題を転換したほうがよさそうです。

では、相手がその話題に興味津々(しんしん)！　といった場合は、どんな反応をするでしょうか。そのバロメーターになるのが**「類似の話題や体験談」**です。

相手が少し沈黙した後で、「実は私には、こういうことがあったんですよ」と自分の話をはじめたときは、あなたに心を開いてくれたということです。ですから今度は、相手の話を聞くことに徹してください。

私は研修の最後に、「コメント」や「レビュースピーチ」と称して、受講生に研修の感想や、自分の今後の課題を簡単なスピーチ形式で話していただくことがあります。

受講生が研修に熱心に取り組み、自分のものにしたかどうかは、このスピーチで一般論を述べるか、自分の体験談を話すかどうかで判断できます。

前者だと、「ああ、あまり私の研修を活用していただけなかったかな」と残念に思います。

逆に、「私の場合は声が小さいことが自信のなさにつながっていたとわかったので、今後は少しでも大きな声で話すことを課題にして改善していきたいと思います」などと自分のことを具体的に話してくれると、「研修に参加してもらえてよかったな」と思います。

つまり「自分のことを話す」というのは、それだけ相手に心を開き、「自分を知ってもらいたい」という意思表示なのです。

次のような言葉が出たら、相手は自分のことを話したがっています。

「その話と似ているのですが……」
「今の話で思い出したのですが、私の場合……」

さあ、今度はあなたが聞く番ですよ！

第3章

「初対面で心をつかむ人」このひと工夫

――なぜ「短い会話」でも印象に残るのか

ヒント1

第一印象の9割は「あいさつ」で決まる！

◎自分のモチベーションも上がる「あいさつ」

「話し上手になりたい」と言っている人に限って、実は、基本の「あいさつ」がきちんとできていないことが多いものです。話術を巧みにしようとあれこれ考える前に、自分のあいさつを見直してみましょう。

会ってすぐに、相手の目を見ながら「こんにちは！」とさわやかな笑顔であいさつするだけで、印象はずいぶん変わります。

初対面で少し怖そうな印象だなと思った人が、にこやかに「おはようございます！」とあいさつしてくれたら、急に親しみ深く感じた、という経験がある人もいるでしょう。

会話というのは、化学反応のようなものです。

「おはようございます」とか「こんにちは」とかいう「刺激」を与えれば、人間関係にすぐさま「反応」が起こります。そして「会話」が生まれやすくなるのです。

あいさつは、ちょっとしたポイントをおさえておくだけで、誰でも相手に好印象を与えることができる強力なツールです。

これからあげる「あ・い・さ・つ」の4つの原則をおさえるようにしてください。

[あ]……明るく、さわやかに

相手の目を見て、心を開く気持ちで、あいさつの言葉を投げかけること。

声が小さいと言われる人は、顔を下に向けて発声していないかをチェックしてください。顔が下を向くと、声が相手に届かない場合が多いのです。これを改善するためには、まず「○○さん」と相手の名前を呼び、しっかり顔を上げてあいさつします。

[い]……いつでも、どこでも、必ずする

初対面に限らず、あいさつは「いつでも、どこでも、必ずする」のが原則。

私は研修などで会場に入っていくときに、大きな声でまず、「おはようございます！」とあいさつします。返ってくる返事で、参加者の皆さんのキャラクターや気持ちがだいたいわかります。

また、研修を依頼された会社に出向くときも、ドアを開けたら、まず「おはようございます！」とあいさつすることにしています。

「櫻井さんはあいさつが、元気よくて気持ちいい」と評判も上々です。

[さ]……先に、先手で声をかける

あいさつは、「まず自分が先にする」。

年齢の上下、立場の違いなどは関係ありません。先に声を出すことで、相手をリードできますし、自分を強く印象づける効果があります。

あ・い・さ・つの「4つの原則」

あ 明るく、さわやかに

相手の目を見て、
相手の名前を呼び、
しっかり顔を上げて

い いつでも、どこでも、必ずする

「いつでも、
どこでも、
必ずする」のが原則

さ 先に、先手で声をかける

あいさつは、「まず自分が先にする」。

先に声を出すことで、相手をリードできます。また、自分を強く印象づける効果があります

つ 続けて粘り強く、声をかける

相手によっては、あいさつを返してくれないこともあります。けれども、そこでめげずに自分のほうから「あいさつをする習慣」を続けましょう

【つ】……続けて粘り強く、声をかける

初対面に限らず、相手によっては、こちらからあいさつをしても、忙しくて気がつかなかったり、とっさに反応できず、あいさつを返してくれないこともあります。けれども、そこでめげずに自分のほうから「あいさつをする習慣」を続けましょう。

あいさつは、人間関係をよくしてくれるだけでなく、自分自身のモチベーションも高める効果があります。ぜひ、以上4つの原則を、毎日実践してください。

名刺交換で会話を盛り上げる法 こんなに「話題のネタ」が！

◎名刺を会話のきっかけにする

初対面の相手と仕事で会ったときの「名刺交換」。ビジネスマンなら普段当たり前のように行なっていることですが、ちょっとした気づかい一つで、人間関係を深める大きなきっかけづくりになります。

ここでもポイントは、**「相手を喜ばせること」**です。

第一印象を決めるといっても過言ではない名刺交換を、ただ儀礼的に行なうなんてもったいない！

名刺をもらったら、相手の名刺をよく見て、話題をふくらませる手がかりにします。

名刺の文面をきちんと読み、数秒間、頭の中をフル回転させる。そこから、「まず相手に話しかけるべきこと」が閃（ひらめ）いてきます。

たとえば私の肩書きは「櫻井弘話し方研究所代表」です。通常のパーティーや異業種交流会に出席しても、あまり見かけるものではありませんね。おそらくは〝珍しい仕事〟の部類に入るでしょう。

この場合、次の改善例のように聞かれれば、私は待ってましたとばかりに、自分の仕事について説明し、会話は盛り上がります。

会話のきっかけを見逃す残念な例

名刺にさっと目を走らせただけで、いきなり「ニュース見ました？　今の政治家はホント、頼りになりませんよね」などと、相手と無関係な話題を振ってくる

改善例

「面白そうなお仕事ですね。具体的にどんなお仕事をなさっているのですか？」

しかし、初めての会話が自分のことではなく、天気や政治家の話で、名刺に書かれていることについてまったく意識してもらえないとどうでしょうか？　少し物足りない気持ちになると思います。その人とは当たりさわりのない話をして、それっきり、となりやすいものです。

たとえば、メーカーの社員の名刺であれば「どんな製品を手がけているのですか？」、デザイン関係であれば「どんなデザインをされているのですか？」など、より深く聞けることはいくらでもあります。他にも名刺のデザインをほめたり、印刷されたロゴの意味を聞いたりしてもいいでしょう。

応用してみよう

「格好いい名前の会社ですね。どういうお仕事をなさっているのですか？」
「すごい肩書きですね。どんなお仕事をされてるのですか？」

名刺交換は相手との会話を盛り上げ、距離を縮めることのできるチャンスなのです。

ヒント3

名刺交換で心をつかむ法
1回で自分を印象づける！

◎楽しい、しかも忘れない！

名刺は話題づくりに、とても役立つと前述しました。

ならば、自分の名刺にあらかじめ、相手の興味をひきやすいようなひと工夫をしておけば、会話のきっかけになるわけです。


ある大手広告代理店では、社員が名刺をつくるとき、１００色の中から選べるようになっています。

「変わった色ですね。何という色ですか？」

「どうしてこの色を選んだのですか？」

などと、お客さまとの話をはずませるための効果は絶大だそうです。

会社の名刺のデザインを勝手に変えるわけにはいきませんが、現在はパソコンで手軽に名刺をつくれるので、会社以外の個人用の名刺をつくっている方も大勢います。こうしたプライベート名刺に、材質、色、デザインなど、さまざまな工夫をこらしてみてはどうでしょう。

最初の話題づくりの「しかけ」として、強力なツールになるはずです。

かつて私がある人から名刺をもらったときの体験です。

自分で小さい会社を経営する彼は、自分の名刺を3、4枚、トランプのババ抜きのように広げ、「さあ、ここから選んでください」と言うのです。

その人の名刺には何種類かあり、相手が引いた名刺を見て、「おっ、今日の大吉です！」とか「惜しい！　今日、その名刺は小吉なんです」などと、ゲームのように言っていました。ちょっとふざけ半分に見えるかもしれませんが、これも相手を喜ばせて印象を強く残すための一つのアイデアでしょう。

ヒント4

90秒の自己紹介 私の体験

◎「聞く側のニーズ」を考える

初対面では、自己紹介の方法次第で、印象がガラッと変わってしまいます。
そこで、ここでは私の経験をもとに、自己紹介の工夫について述べていきましょう。

私が以前、ある印刷機器メーカーで開催されたリーダーシップ研修に参加したときのことです。いつものような講師としての参加ではありません。招待されて、一受講生として参加したのです。

まず、最初に受講生の自己紹介コーナーがありました。持ち時間は90秒。
しかし、私は自分の講演ではいつも自己紹介に2〜3分かけています。さて、どうしたものかと思案しました。

←いつもと違うぞ……

私は仮にも「櫻井弘話し方研究所代表」という肩書きを持つ身。いつもの講演のときにする自己紹介を短くしただけでは工夫がない。

その上、今回、私は受講生なのだから、自分の実績や仕事内容を伝えても、他の人たちは「いったい、なぜこの人は、ここに来ているのだろう？」と違和感を持つはずです。

←この人たちの興味・関心は？

この研修に集まった人たちの関心は何か？

「リーダーシップ研修」なのだから、受講生の多くは管理職や経営者である。

←自分なりの問題意識も盛り込もう！

そこで私は自己紹介で話したいことを3つに絞り、このような順番で説明しました。

1 この研修に、私が招待された経緯
2 管理者として日々、自分が抱える問題について
3 今回は、管理者としてのノウハウをここで学ぶつもりであること

幸い、この自己紹介に共感を持っていただけたのか、研修が終わった後で、何人もの方から名刺交換を求められました。

とかく自己紹介では、自分をアピールしようとか、よく見せようということを考えがちになります。

けれども重要なことは「**相手に興味を持ってもらうこと**」であり、そのためには「聞く側のニーズを考えてみる」ことです。気のきいたことを言おうとするのは、後回しでかまいません。

好感度200パーセントの自己紹介「サンドイッチ法」と「フルネーム法」

◎相手が絶対忘れない「名乗り方」

好感度大の自己紹介スタイルとしてお勧めするのが、次の「サンドイッチ法」です。
これは決して難しいものではありません。

あいさつ…「皆さん、こんにちは」と、さわやかな声であいさつ
↓
自己紹介…聞き手のニーズを考えて話す
↓
あいさつ…「今日はよろしくお願いします」とあいさつでしめくくる

つまり自己紹介をあいさつでサンドイッチするのです。

実は他人の自己紹介をきちんと聞いている人は、意外と少ないものです。

以前、話し方研究所会長の福田健(たけし)氏が、西日本のある県で講演をしたときのことです。

自己紹介で、自分は山梨県甲府市の出身であると述べたのですが、全体の四分の一くらいの人が、それと似ている「山口県防府(ほうふ)市」だと思ったそうです。「奇遇ですね。同郷なんです」とあいさつしてくる方もいらっしゃったとか。

そのくらい、人は自己中心に話を聞くものなのです。そこで自己紹介は「内容」より「印象」をよくするほうに力点を置いたほうがいいのです。

サンドイッチ法を使って、あいさつをはさんで丁寧に自己紹介をすれば、相手は「配慮が行き届いた礼儀正しい人だ」という印象を持ちます。シンプルな方法ですが、気のきいたことを言おうと頭を悩ますより、簡単で効果的です。

また自己紹介前のあいさつには、「これから話しますので、こちらをご覧になっていただけますか」と、相手に「聞く準備」をさせる効果があります。

そこで真っ先に述べたいのは「**自分の名前**」です。


名前を名乗るときも、ひと工夫しましょう。

「櫻井弘です」とフルネームをしっかり名乗ります。

日本人は、名字しか名乗らない人が多いようです。しかし、同じ姓の人が多い場合、印象に残りません。それに自分のフルネームを言うことには、もう一つ、気持ちを落ち着かせるという効果もあるのです。自分の名前を間違える人はいませんからね。

冒頭のすべり出しがうまくいくと、落ち着いて後の話を続けることができます。緊張しやすい人は覚えておいてください。

◎私のひと工夫
私の名前は「櫻井」と、覚えにくい旧字を使っているので、「二階（貝が二つ）の女が気（木）にかかる」と漢字の説明をします。

また「櫻」は「おう」とも読むので、「おうい、櫻井！」と覚えてもらいます。

雑談力は相手への観察力にある!?

◎話題づくりは、相手の「ここ」を見れば簡単!

初対面の相手との名刺交換と自己紹介がすむと、さて「何を話せばいいんだろう」と悩んでしまうことがあります。

あいさつや仕事の話ならば「話すべき」ことが決まっているので悩む必要はないのですが、本題に入る前のちょっとした「雑談」、これはすらすらと言葉が出てくる人がいる一方、とっさに話したいことが浮かばず、焦ってしまう人も多いのです。

雑談は相手との距離を近くする効果がありますが、失敗すると空気が流れず、居心地の悪ささえ感じます。

ここで覚えておいてほしいのは「メラビアンの法則」です。人の「印象形成」に、もっとも大きな影響を及ぼすのは視覚情報であり、「第一印象の55パーセントは見かけで決まる」というものです。

コミュニケーションの方法論を開発しているＮＬＰ（神経言語プログラミング）の世界では、人間には「視覚型」「聴覚型」「感覚型」があるといわれています。そのうち多いのが、見かけや映像を重視する「視覚型」で、このタイプの人はアクセサリーや持ち物など、わかりやすいアイテムを身につけていることが多くあるといいます。

そこで、まずは「見かけ」に注目。相手の雰囲気、服、アクセサリーや時計など、「素敵だな」「特徴的だな」と感じられる要素をチェックして話題にするのです。

◎私のひと工夫

私は話題づくりに便利なので、好きな動物柄のネクタイをよくします。「かわいいネクタイですね。動物がお好きなんですか？」と聞かれれば、会話がスムーズにはじまります。

あるとき、魚のネクタイピンをしている方がいたので、「素敵ですね」とほめたら、釣りが趣味であるということ、そこから話題が深まっていった、ということもありました。

また、立食パーティーなどで、よくビールを注ぎにきてくださる方がいます。「ありがとうございます」と注いでもらいますね。でも、そこであなたは相手のグラスを見ているでしょうか？　実はこのとき、相手のグラスのビールも減っていることが多いものです。もちろんここで、あなたも相手に「注ぐ」のが正解。

「よく飲まれるんですか？」「お仕事は何をされていらっしゃるんですか」など、そこから会話がはじまります。日本的な習慣といえますが、「私にも同じことをしてほしい」という相手の信号をキャッチして「**察する**」のです。

とかく話題は自分の頭の中にあるものから探し出そうとしがちです。しかし、目の前の相手の信号を、的確にキャッチすればいいわけです。

相手が着物を着ていたら、「着物がお似合いですね」など。

また、目に見えるものだけでなく、耳も澄ませましょう。

会話のイントネーションが違うことに気づいたら「関西のご出身ですか？」など。

相手も、自分の「個性」や「魅力」「変化」に気づいてもらうのは嬉しいもの。**「会話力とは、まず観察力」**なのです。

3秒で、相手が望んでいる話題が見つかる

"間を取る"ことで「親密な話」が始まる

次はよく研修で教えている **「話題発見のま・み・む・め・も」** です。

「相手が発信している情報」をキャッチするためには、話す前に「待てよ」と一歩立ち止まって観察する習慣をつけること。これが話題発見につながります。

それではいったい、どれくらい待てばいいのでしょうか？

私は「3秒待ちましょう」と話しています。

何だ、たったそれだけ？　と思った方、実際に計ってみてください。3秒は非常に長く感じられます。

研修でやってみると、何か質問をされたとき、返答するまでの平均時間は、約1～2秒です。

実は3秒あれば、「み」から「も」までのこと、つまり、見直して、視点を変え、目配りをして、問題意識を持ち、的確な返答をするということが充分できます。

それを、考える余裕がなく、頭に浮かんだ言葉をそのまま口にしてしまうから、「会話」がすぐ途切れてしまうのです。

「み」以下については次の項であらためて述べますので、ここでは「待つ」ということの効用をもう一つ、あげておきましょう。

それは「会話のスピードをお互いの間で調節できる」ということです。

話すときのスピードは、人によって異なります。早口の人もいれば、ゆっくりの人もいます。

口調の速さだけでなく、思考のスピードによっても会話の速度は異なります。ただし、ゆっくりの人は落ち着いて、内容をよく吟味して話す傾向があります。決して遅いからダメ、速いからいいということではありません。

話題発見の「ま・み・む・め・も」

ま 「待てよ」と立ち止まる

み 見直してみる

む 向きを変えてみる(視点を変える)

め 目配りをする

も 問題意識を持つ

しかし、話すスピードの差があまりにも大きいと、お互いに違和感が出てきます。一方は「まだるっこしいな」と感じ、一方は「せっかちだな」と思う。会話が長続きしない原因の一つです。

けれども会話に「間」があれば、お互いの会話スピードが調節できます。これは餅つきの〝返し〟のようなものです。ちょっとした合いの手が入るから、リズムが途切れないわけです。

しかも「間」を置くことによって、「話が受け入れられた」という感覚が生まれるので、より親密な話ができます。

会話が自然にはずむ「話題の料理法」

◎「なぜか？」を常に意識する

ここでは「話題発見のま・み・む・め・も」の、「み」以下について、あらためて説明します。

「み」…見直してみる

会話をする際、話題を自分の経験の中で探すと、なかなか相手の興味をひきそうなものがない場合があります。

その場合は、〝経験〟を見直すのも、一つです。

たとえば相手が主婦なら、上司と部下の板ばさみになって悩む中間管理職の話を、夫と反抗期の息子の板ばさみになって悩んでいる女性に置き換えて話します。

自分と立場の違う人との会話は「話がかみ合わないだろう」「どうせ話してもわかってもらえないだろう」と最初から敬遠してしまいがちです。しかし、話題を「見直す」ことによって、意外と意気投合できるものです。

「む」…向きを変えてみる（視点を変える）

とかく日本人は、謙遜は美徳とばかり、自分に対してネガティブなことを言う人が多くいます。

「櫻井先生、また新しい本をお出しになったんですね。お仕事が速くてうらやましいなあ。それに引き換え、私は仕事が遅くて、なかなか執筆が進まなくて……」

こちらをほめてくださるのですから、悪い気はしません。でも、返答が難しい。そこで、見方を逆にしてみます。

「いや、ゆっくり吟味しながら書くのも、いいのではありませんか？　大作家の方にだって、一冊にものすごく時間をかける方がいるようですよ。仕事が速くても雑であるより、遅くても正確なほうがいいでしょう」

ネガティブ要素を逆から見れば、「相手へのほめ言葉」になる可能性もあります。

「め」…目配りをする

私は講師の研修指導中に、急に押し黙って、腕を組むことがあります。研修生が「なぜこの人は、こういう動作をしたのか」と、洞察できるかどうかを見ているのです。話題を探す際にも、相手に対してこうした目配りをすることで、相手の気持ちが見えてくることがあります。

「も」…問題意識を持つ

特に仕事の場面での会話になると「どうして相手はこう言ったのだろう？」とか、「相手はいったい、何に興味を持っているのだろう？」ということが重要な要素になってきます。会話の最中、常に「なぜか？」という意識を心の中に持っておくとよいでしょう。

「初対面の相手」との会話のきっかけ、どうつくる？

◎「自分のことを先に話す」のがコツ

特に初対面の相手との会話では、誰もができるだけ自分に対して「いい印象」を持ってもらいたいと思うものでしょう。

そのためには、会話は自分ばかりが話すのでなく、できるだけ相手に話をしてもらうようにする、ということは、1章でも説明しました。

けれども、「さあ、何でもいいから話してください」と相手にうながしても、とまどうばかりでしょう。

細い道で車がすれ違うとき、「お先にどうぞ」と相手に伝える場合は、窓を開けて

「どうぞ」と手で合図したり、軽くパッシングをしたりして、こちらの気持ちを伝えますね。

会話でも、これと同じやり方が有効です。

先日、私は新幹線で、小さな子どもをつれたお母さんと隣り合わせになりました。子どもがはしゃぐので、お母さんは「まわりに迷惑でしょう」と、何度も子どもを叱っていました。

私は「そんなに気にすることはないですよ」と言おうか、と思いました。しかし、いきなり話しかけても警戒されてしまうかな、と考えました。

そこで、「お子さん、3歳くらいですか？　うちの子がこれくらいだったときのことを思い出します」と、声をかけてみました。

「あ、そうなんです。すみません。初めて新幹線に乗るので、はしゃいでしまって」とお母さん。

「いえいえ、うちの子がこれくらいのときは、もっと大変でした」と、私。

しばらく子育ての話などしているうちに、子どもが騒いだら困ると、緊張していたお母さんの表情が、少しやわらかくなったように見えました。

私も久しぶりに自分の子どもが小さかったときのことなどを思い出し、楽しい気持ちになりました。

これは、自分の子どもの話をきっかけに、相手の心が開いた例ですね。

「相手に話してもらう」のが会話の基本ですが、そのためには、まず自分から、こちらの情報を開示すること、相手は心のガードがとけるので、会話がスムーズにいきます。

「先に心を開く」ことが、信頼を獲得することにつながるのです。

「話の輪」の中に、すんなり入るには？

◎これで会話がスムーズに！

パーティー会場などで盛り上がっている話の輪の中に入るのは、勇気がいるものですね。

こんなとき、どのように言えば話の輪の中にすんなり入ることができるでしょうか。

「楽しそうですね」
「ずいぶん盛り上がっていますね」
「すみません、たまたま話が聞こえたのですが……」

などと、話の流れを聞いてから、「私も会話に加えてください」という意思を素直にあらわせば、すんなり話の輪に入れます。

また、一対一で話しているときに、話が途切れて沈黙になってしまった。これもあわてることはありません。何かしゃべらなくては、と焦らず気持ちを素直に出したほうが、会話はスムーズに運びます。

「話が続かない。困ったな」と思ったら、

「ところで話は変わりますが」

「そろそろ話を変えますか？　そういえば……」

と言って、新しい話題に切り替えればいいのです。

「話をもとに戻すと」

「ええと、何の話でしたっけ」

と過去にさかのぼるのもいいでしょう。

あわてず、ゆったりとかまえるのがコツです。

恥ずかしがったり、遠慮しすぎたりしてしまうと、かえって会話はギクシャクしてしまいます。

会話はパーフェクトに話そうと思ってもできるものではありません。それはお互い様ですから、相手の様子を見つつ、自分の気持ちを素直に出して話しましょう。


これは、自分の意見を言うときも同じです。


「間違っているかもしれませんが、それはこういうことですか？」

「その話、とても興味があるので、詳しく聞いてもいいですか？」


そんな素直な表現のほうが、相手はあなたの誠意を感じるものです。

本章では初対面の相手との会話について述べてきました。初対面では、相手のことがわかりません。マニュアル通りにいかないこともあるでしょう。

しかし、予想外の答えを楽しみ、相手のことを理解し、自分も素直に言葉を伝えることができれば、人間関係が深まります。

当たり前ですが、「**初対面は一度しかない**」のです。

次章ではさらに、「会話が途切れず、はずむ話し方」を紹介していきます。

第4章

「会話が続く、盛り上がる！ 技術」これだけのことで！

――楽しい話題づくりから場をなごませるテクニックまで

ヒント1

相手をスッと会話に引き込む「言葉の万能薬」は？

◎話しかけるときの「ひと言」

相手に話しかけるときのひと言に悩む人がいます。

相手が忙しそうにしていたり、何かに熱中している様子だと、何と言っていいのかわからず話しかける糸口がつかめない……。

そんなとき、頼りになるのが「口グセの引き出し」です。困ったときの「お助け口グセ」をたくさんストックしておけば、必要に応じて使えます。

たとえば相手に話しかけるときに有効なのは、はじめに相手の名前を呼ぶことです。

「な〜んだ、そんなこと！」と思ったでしょうか？

でも、意外と最初に相手の名前を呼ばない人が多いのです。

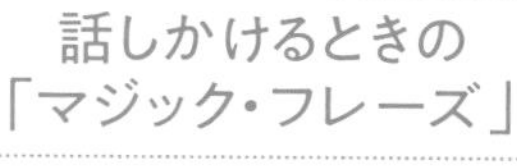

話しかけるときの「マジック・フレーズ」

❶ 詫び言葉

「申し訳ございません」「すみません」など

❷ 感謝の言葉

「ありがとうございます」「お世話になります」など

❸ 接客用語

「いらっしゃいませ」「お手数をおかけします」
「失礼ですが」など

❹ あいさつの言葉

「おはようございます」「こんにちは」など

❺ 返事の「はい」

「はい、わかりました」「はい、かしこまりました」など

「櫻井さん、おはようございます」

と冒頭に名前を入れて呼びかけてもらえば、「自分に話しかけてもらえた」と瞬時にわかり、親近感がわきます。そうすれば、

「ああ、〇〇さん、おはようございます。今日は天気がいいですね。最近は忙しそうですが、天気がいいと、仕事も気分よくできますよね」

というように、会話がスムーズに運ぶのです。

他にも、会話の導入がしやすくなる、万能薬のようなフレーズがあります。

私はこれらを「**マジック・フレーズ**」(１０９ページ参照)と呼んでいます。

たとえばパソコンに向かって集中して仕事をしている上司に話しかけるとき。

「課長、今**よろしいでしょうか？**」

「**恐れ入ります、**課長、報告したいことがあるんですが」

このように、「よろしいでしょうか」「恐れ入ります」などの言葉を冒頭に入れれば、すんなり本題に入れます。

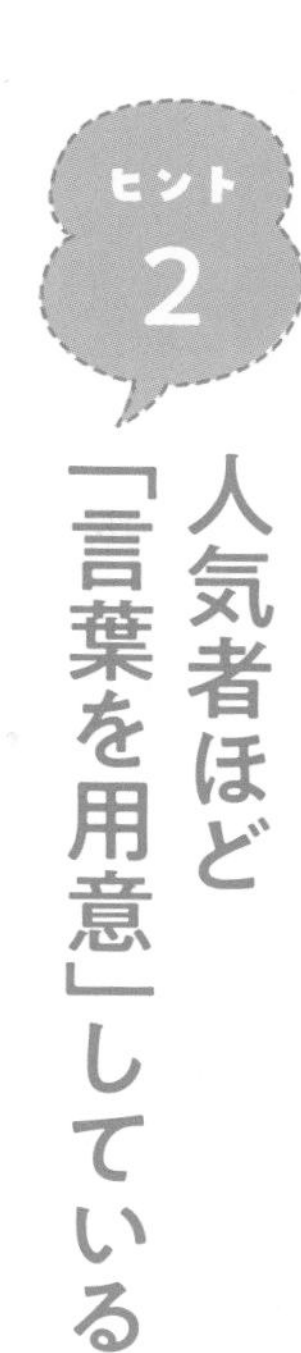

人気者ほど「言葉を用意」している

◎一気に雰囲気がなごむ「ツカミ」の秘訣

かつて経団連の会長を務めた土光敏夫さんは、「職場で、朝の10時までにジョークを言って笑い声があがる日は、後は黙っていても仕事がスムーズにいく」とおっしゃっていました。

職場がリラックスした雰囲気だと、コミュニケーションがスムーズになり、仕事もうまくいくからです。

土光さんに倣うわけではありませんが、私は最近、周囲をなごませるためと称し、オヤジ・ギャグに凝っています。

「さむい〜」と敬遠されがちなオヤジ・ギャグですが、これにもコツがあるのです。

それは、反応がなくても少なくとも3回は繰り返すこと。

たとえば先日、若い人たちと鴨料理を食べに行ったときのことです。年配の私と一緒のせいか、何だかみんな、静かです。そこで私は、つぶやきました。

「これは鴨かも」

反応なし。でも、くじけない。さらに続けます。

「鴨、よく噛もう」

まだ笑いがあがりません。でもかわいそうに思ったのか、誰かが「櫻井さん、相変わらずですね」などと、反応してくれます。

そこで三言目。

「それは愛かも」

やっと、「しょうがないなあ」なんて言いながら、みんな笑いはじめます。そして雰囲気が一気になごみ、わいわいがやがや、雑談がはじまりました。

相手の気持ちをつかみ、こちらに関心を向けてもらう方法の一つが、「意外性の演出」です。

たとえば、私が研修で関西の自治体や企業にうかがう際によく見かける場面があります。

朝から始まる研修の場合、参加者の自己紹介は、「おはようございます」というあいさつから始める人がほとんどです。

半分くらいの方の自己紹介が終わった頃から、「お約束」という表情をして、「こんばんは！」と元気よく第一声を発する人がいます。そこで、どっと笑いが起こるのです。

このような「ベタなギャグ」でも、意外性を演出するだけで、その場は一気になごみます。漫才でいう「ツカミ」ですが、最近は関西の研修でもあまり聞くことがなくなってきたのは、ちょっと残念です。

この他に、自分の風貌が有名人に似ていたとしたら「〜です！」と切り出すのもよいでしょう。

私は、よく「俳優の前田吟(ぎん)さんと似ていますね」と言われるので、そのことを話すことがあります。すると、さっそく「前田さん！」「吟ちゃん」などと呼ばれてしまうことも。

それだけ、意外性のある演出や共感できる言葉は相手に強い印象を与えるのです。

普段から、「ちょっと視点を変えてものを見る訓練」をしておくと、オリジナリティのある言葉で自分を印象づけることができます。

また、人の心をつかむために必要なのは、「準備」です。

「いろんな人から『斎藤は何か持っている』と、言われてきました。

今日、何を持っているのか確信しました。

それは、『仲間』です！」

これは、プロ野球の北海道日本ハムファイターズに入団した斎藤佑樹投手が早稲田大学野球部時代、東京六大学野球のリーグ戦で優勝したときの言葉です。高校時代から注目を浴びてきた斎藤投手が、自らを、

「僕は何か持っていると言われてきました」

などというのは、一見嫌味（いやみ）な感じさえします。

しかし、ちょっと自意識過剰かなと思わせる言葉ではじめておいて、聞き手が「では、持っているものは何だろうな？」と思っていると、その「何か」とは一緒に戦ってきたチームメイトだ、と言う。意外性のある言葉で、これは印象に残りますよね。

おそらく斎藤投手は「優勝したら、この言葉を言おう」と準備していたのではないでしょうか。少しきれいにまとまりすぎている気もしますが、「人の心をつかむひと言」を心得ているな、と感じました。

とっさのときにも「心をつかむ言葉」がすぐに浮かんでくる天性の話し上手も中にはいます。

しかし、人の注目を浴びる人、人気のある人の多くは、「ここぞ、というとき、この言葉を使おう」と準備を怠らないものなのです。

「話が盛り上がらない」ときの話題は？

◎相手がのってくる3つの「し・か・け」

話題探しについて、第1章では相手の興味、関心に合わせて会話を続ける方法を説明しました。

しかし、相手がどちらかというと寡黙なタイプで自分から、あまり話してくれないという場合もあります。

そんなときも、ほぼ確実に、話が続く話題づくりの方法をまず2つ、お教えしましょう。

1　相手の近況・環境について聞く

「最近、いちばん楽しかったことは何ですか？」

「お休みの日は、何をしているんですか？」

など、相手の様子を見ながら質問してみて、会話がはずみそうだったら、さらに、

「いつから始めたのですか？」

「難しいこともあるのでしょうか？」

などと、話を広げていくのです。

2　「もしあなただったら、どうしますか？」と質問する

「実は先日、電車に乗っていて、隣に座った若い男性のイヤホンから音がもれてましてね。その音がとても大きくて、まわりの乗客もみんな迷惑そうに見ていたんですね。静かな車内だったのでよけいに気になってしまって……。

そっと注意したほうがいいかなとも思ったのですが、あなただったら、どうします

か？」

こんなふうに話せば、「私なら、こうする」などと話がはずむこと請け合いです。

そして、いよいよ「**3つのしかけ**」です。相手が乗ってきやすく、自分との共通点がある可能性が高い話題として次の3つを覚えておくといいでしょう。

「し」……趣味、仕事
「か」……家庭
「け」……健康、ビジネスにおける決意と結果

また、ニュースや流行、時事的なネタも、話題にしやすいものです。むしろ自分自身の話題でない分、気軽に話せるかもしれませんね。

ただし、**政党批判や宗教に関する話は初対面では避けたほうがよい**でしょう。

「し・か・け」の3つは会話の取っかかりとして活用できるので、覚えておくと便利です。

ヒント4

「本、インターネット検索、ツイッター」でネタづくり

◎「広く浅い人」より「狭いが深い人」が面白い！

今の時代、「共通の話題」がなかなか見つけにくくなっています。一般的に会話がはずむ、流行のドラマ、テレビ番組、歌などは、世代が異なると、まったく話題についていけないことがあります。

そこで、異世代でも共通して話せる話題としてお勧めは、家族の話や趣味、好きな食べ物など。「マイブーム」や「好きな○○」というテーマは、比較的話しやすいでしょう。

私が最近、よく利用する話題は「ＳＮＳ」です。

他に話題ストックのための情報収集は普段からしています。若い人に聞いた、話題の○○についてなど、ネットで検索したりします。

また、異なる世代に関する話題は、まわりの人と結びつけて考えるようにしています。

話題の言葉について「私、それ知っている」だけでは会話が盛り上がりません。「いろいろなことを名前だけ知っている人」よりも「一つのことについて詳しく知っている人」のほうが話は面白いのです。

だから「広く浅く情報収集」よりも「一つの専門分野を極める」ほうが魅力的な話し手になれると思います。

日本人は、流行っているものがあると、我も我もと同じほうへ流れていく傾向があります。けれど、本当は趣向や価値観の違う人と話すほうが面白いのです。

そう言うと「共通項を見つける」という話と矛盾するようですが、違う価値観を持った者同士が理解し合うことが、コミュニケーションの醍醐味(だいごみ)だと思うのです。

たとえば、「本は、どういうジャンルが好きですか？」と質問した場合。

「私は○○という作家の本が好きです。何となく共感できるんですよ。あなたはどうですか？」

「私は△△ですね。空想力を刺激するタイプの本が好みなんです」

ここで「イメージと違うな」などと感じれば、相手の未知の面を知ることができたわけです。


さらに「どうして、そこに興味を持つようになったんですか？」と、質問を掘り下げていけば、「好みは違うけれど、趣味への取り組み方や考え方の切り口が似ているな」などと、共通点も見えてきます。

そして「私もそれを読んでみようかな」と、自分の世界を広げていけます。

基本的に人間はそれぞれが違う世界を持っています。その違う世界を知り、自分の世界を広げていくことこそ、会話によって生まれるいちばんの宝なのです。

「毒のある話」は〝小出し〟にするとよい

◎「おせっかい言葉」にもご用心！

118ページで少しふれましたが、避けるべき話題、禁句の話題というものがあります。

宗教、政党、セックス、容姿、そして本人が劣等感を抱いていることについての話題は、よほど気心が知れた間柄でないと、あらぬ疑いを招くことにもなりかねません。

ただ、最後の「本人が劣等感を抱いていること」は、よほど仲がよくない限り、なかなかわからないでしょう。

私は講演などのとき、特定の地域や業種の人の例をあげるなど、相手が不快感を持つかもしれない話題を出すときは「毒消し言葉」を使います。

「**ちょっと保険業界の人がいたら申し訳ないのですが……**」

「**あなたが関西出身だったら申し訳ありませんが……**」

と毒消し言葉ではじめて、

「**こういうことがあったんです**」

などと、今から言うことは、あくまで特定の人のケースであって、すべての人を指すものではない……と前提条件をつけて話し出します。それがすんなり受け入れられるようだったら、話をどんどん広げていけるわけです。

もう一つ注意してほしいのが、相手に不快感を与える「おせっかい言葉」です。

押しつけ……「絶対、こうすべきですよ！」
「言う通りにすれば、間違いないから！」

先走り……「紹介しますよ。すぐ連絡しましょうか？」

詮索(せんさく)……「ひょっとして、○○なのじゃないですか？」

こういう言葉がつい、口から出る人は、きっと親切で面倒見のいい人なのでしょう。でも、言われるほうにとっては、押しつけがましいだけの、余計なお世話ということもあります。

これは「相手のためになることをしてあげたい」というより「自分がこうしたい」という欲が前面に出ています。

もし「誰かを紹介してあげたいな」と思うなら、相手の意向を聞いてから、あらためてメールなどを送れば、すむこと。

「すぐアポを取らなきゃいけない」とか、「相手の気持ちが変わらないうちに」という意識ばかりが強すぎると、とんだおせっかいになってしまいます。

ヒント6

しまった！ うっかり失言してしまったら……

◎人間関係は修復できるものです

気をつけていても、会話は生放送のぶっつけ本番。つい失言することもあります。

「しまった！ 失言してしまった」

と、すぐに気づけば〝挽回発言〟は可能です。

問題はこちらが「よかれ」と思って言った言葉を、相手が悪意にとらえ、不快な感情を持ってしまう場合です。

誤解されたまま、「あんな人だと思わなかった、もう一切つき合いたくない」と、一方的に人間関係を解消されてしまっては悲しいものです。

誤解されているのではないか？　と思い当たったら、どうしたらいいでしょう？

たとえば何度メールを出しても返信がこないなら、

「何度かメールをお送りしたのですが、届いていますか？」

「返信がなかったのは、何か理由がおありだったのですか？」

と尋ねてみる。相手がうっかりしていただけならOK。

しかし、心配した通り、相手があなたのことを誤解しているとわかったら、「本当にすみませんでした。でも、私はそういう意味で言ったのではないのです」と、きちんと説明するようにします。

失言したときの「挽回フレーズ」

「今の発言の意味は～なので、勘違いしないでくださいね。日本語って難しいですね！」

「今の話は、○○さんのことなんです。あなたのことではないので、悪しからず！」

「いい意味で、ですよ、誤解しないでくださいね！」

ヒント7

愚痴は意見に、文句は提案に

◎明るく前向きな言葉をつかおう

愚痴は、言うのも聞くのも大嫌い、という人がいます。愚痴を言っても何にもならない、言う暇があったら前向きに改善策を考えるべきだと言います。

そういう強い人はいいのですが、ストレスがたまれば愚痴を言いたくなることもあるものですね。

悪いイメージが先行しがちですが、愚痴にも効用はあります。仲間内で愚痴を言い合えば盛り上がります。ストレス発散にもなります。

とはいえ、愚痴は、基本的には批判や攻撃のマイナス言葉ですから、いくら言ってもいい気分にはなれません。ならば**「愚痴は意見に、文句は提案に」**するのです。

後輩が、会社に対する愚痴をこぼしているとき。

まずは「ずいぶん、我慢をしていたんだね」と、受け止める。

次に、それを**「意見」**や**「提案」**の形に置き換える。

「つまり、もっと会社がこういうふうになればいいのだね」

「差し当たって今、我々ができることには、こういうことがあるかな」


このように、同じことでも視点を変える言い方をすればいいのです。不満をためるばかりでなく、行動すれば改善の余地がある、と、相手が気づけばしめたもの。

(なお、どう話しても前向きになれない「愚痴人間」への対処法は228ページを参照してください)


上司や会社への不満と並んでよく聞く愚痴に、次のようなものがあります。

「今年の新人は、何を考えているのかしら」

「うちの若い奴らは、何もわかっていない」

新人研修担当になった女性が、「今年の新人はもの覚えが悪い。あれだけ言って、やっとわかってくれたと思ったのに、まだわかっていない」という不満を、元上司に漏らしたそうです。

そうしたら、彼はひと言。

「君も新人のとき、そうだったじゃないか」

彼女は真っ赤になり、「そう言えば、私が新人のときより、今の新人のほうが優秀かな」と思い直したとのこと。

「近頃の若い人たちは……」という愚痴は、何でも古代バビロニアの時代からあったとか。いつだって上の人間は、下の人間の至らなさが目につくものなのです。

逆に私は駆け出しの頃、「うまくできなくてすみません。足手まといになってしまいました」と上司に告げたところ、「いや、櫻井君、僕もそうだったよ」と言われたことがあります。上司のそういう言葉こそ、下の人間を安心させるのです。

自分の意外な個性が見つかる「短いスピーチ・レッスン」

◎ウケるスピーチのテーマは簡単に見つかる！

自分から積極的に話すのは苦手、という人は、よく「私には面白い話なんてないから」と言います。

でも、本当にそうでしょうか？

人は誰でもかけがえのない、たった一つの人生を生きています。あなたの体験は、誰もあなたに代わって体験することはできません。

その意味で、誰もが自信を持って話せる「特別なこと」を持っているはずです。自分では大したことのない話だと思っていても、第三者がそれを聞くと、感動したり感心したりすることも多いのです。

自分独自の話題を発見するために、研修では「○○のすすめ」というテーマで、短いスピーチをしてもらっています。

結構、変わったテーマがたくさん出てきます。

「裸足で歩くことのすすめ」

「シイタケの片面焼きのすすめ」

「大げさのすすめ」

「リビングで勉強することのすすめ」

どれも「私には何の取り柄もないし」「こんなの、聞いても面白くありませんよ」と言っていた方が選んだテーマです。

でも、タイトルを聞いただけで、どんな内容なのか知りたくなってきませんか？

実際、話してもらったら、本当に「面白かった！」のです。

たとえば「大げさのすすめ」を語った人は、バイクの事故で、松葉杖をつくことになった経験があるとのこと。

大したケガでもないのに「大げさかな」と思っていたところ、バスに乗ると大勢の人が「どうぞ、どうぞ」と席を譲ってくれる。そして、心配して多くの人が電話やメールを送ってきてくれる……ああ、人間っていいなあと、あらためて感じたそうです。だから人の素晴らしさを実感するためには、ときには「大げさ」もいいのではないかと話してくれました。

「リビングで勉強することのすすめ」を語った人は、「テレビがついていたり、家族がガヤガヤしたりしているリビングで勉強したことで、かえって集中力が身についた」とのこと。

それぞれが個人の独自な人生体験から生まれた、他の人が知り得ない貴重なエピソードです。

聞けば私たちは「ああ、確かに！」「私にも似たことがある」「私は逆だったな」と、また独自の経験を重ねて、新しい発見をすることができるでしょう。

自分は面白い話なんかできないし、話せるような話題もない……。そんなことはありません。

誰にだって、こういう貴重なネタがあるのです。あなたがヒントを投げかければ、それによってまた誰かが、新しいヒントを提示してくる。そうして世界が面白いようにどんどん拡大していくのが「会話」です。

その世界を堪能するために、まずは「勇気を持って話してみる」ことから、はじめていってほしいと思います。

「また会いたい」と思われる人の〝ふとしたひと言〟

◎別れ際には、笑顔に添えて、この言葉を

目を閉じてください。

誰か一人、知っている人の顔を思い浮かべてください。親しい友人、尊敬する人、上司、同僚、後輩、あるいは長いこと会っていない幼なじみでもいいでしょう。

その人の顔を思い浮かべたとき、表情とともにパッと思い浮かぶのは、何でしょう。

たぶん、声ではないでしょうか。

それも長々と話しているのではなく、何かの折に何気なく口に出されたひと言。人の印象に残るのは、案外、そういった「ふとしたひと言」なのではないかと思います。

友人と話していて、

「そういえば○○君にこの前、会ったんだけど、おまえのこと、元気かなって言っていたよ」

と言われたとき。

自分のことを気にかけてくれている友人、それを教えてくれた友人、両方ともが、とても大切な存在に思えてきます。

「最近はどうかな」

「頑張っているね」

すれ違うとき、かけてくれる上司のひと言。それだけのことで、頑張ろうかな、という気分になったりします。

あるいは何となく話の輪の中に入れないでいたら、誰かが声をかけてくれたとき。

「○○さんも、この間、同じような経験をしたんだよね？」

「○○さんだったら、こんなとき、どうする？」

このような何げない心づかいに、心があたたかくなるはず。

こんなふうに、ほんの少しのプラス言葉で、人間関係がいい方向に変わっていくのです。


話が終わり、別れるときにも、ぜひかけたい言葉があります。

それは、「次の機会へつなげる言葉」です。

「ぜひ、近いうちにまた、お会いしましょう」

「今度、またお会いできますか」

「また、〜の話をしたいですね」

社交辞令でなく、会う約束が実現しそうな相手なら、

「日にちを決めておきましょうか？」

「後日、連絡させていただきますが、メールと電話、どちらのほうがいいですか？」

まず相手に向かって一歩、踏み出しましょう。

そのひと言が、あなたの世界を広げてくれることになるのです。

第5章

「ほめる、謝る、主張する……」頭のいい方法

——「できる人」が実行している、この極意

ヒント1

どんな言葉に「人は動かされる」のか？

◎「この部長に、何があってもついて行こう」

ある会社の若手社員、Nさんの話です。

Nさんはあるとき、社外に向けた文書をつくる仕事で大きなミスをしてしまいました。直属の上司である課長の権限ではどうにもならないので、一緒に部長のところへ、ことの次第を報告に行くことになったそうです。

どんな叱責が待ち受けているか……、厳しい言葉を覚悟して身を固くしていたNさんに、部長はこう言ったそうです。

「ありがとう！」

その言葉にビックリして、Nさんは思わず聞き返しました。

「何がですか？」

「確かにこれは大きなミスだ。けれども、今日のうちに連絡をしてくれたおかげで、何とか解決できる。もし明日になっていたら、どうすることもできず、大問題になっていただろう。だから問題を発見した時点で隠さずにすぐにミスを認め、知らせてくれたことに対し、『ありがとう』と言いたいのだ」

このとき彼は、「この部長に、何があってもついて行こう」と思ったそうです。


同じように、一つの言葉が、ある人の人生に重い意味をもたらした話を聞いたことがあります。

Fさんは子どもの頃、いじめにあい、人間不信になり、学校にも行けない状態になっていたそうです。医者やカウンセリングに通っても、悩みは解決できませんでした。ところがあるとき、ふとしたきっかけで、あるお寺の住職さんを訪ねたそうです。

開口一番、住職さんはこう言ったといいます。

「おめでとう！」

ポカンと口を開けている彼に、住職さんは続けて言いました。

「君はいじめにあったのだろう。そうすると、いじめにあう人の気持ちが誰よりもわかるじゃないか。その体験を、社会で生かせないか？　君にしかできないことが必ずあるはずだ。だから私は、『おめでとう』と言ったのだよ」

まさに彼は、目からウロコが落ちた気分になったそうです。

あるひと言が、人の気持ちに一石を投じ、考え方や行動を変えるきっかけになることもある……先の2つの例は、そういう「人を大きく動かした言葉」です。

けれども、「ありがとう」とか「おめでとう」とかいうフレーズを単に覚えたからといって、それだけで相手の心を動かせるわけではありません。

相手のことを思い、今、その人のためにいちばん必要な言葉を、勇気を持って言う。覚悟を持って言ったひと言だから、相手に言葉の重みが伝わるのです。

この章では、相手をほめたり励ましたり、上手に自己主張したりといった、少し難しい場面での話し方を解説していきます。

「意外なところをほめられる」のが人はいちばん嬉しい

◎「短所」を「長所」に言い換える

会話の基本は「相手を肯定的に受け止める」こと。相手を受け止めていることを示すサインの一つは、**相手をほめること**です。

ただし一般的に、本人が「自分がすぐれている」と自覚している点をほめても、あまり感激してもらえません。

知り合いに、とても美人であると評判の高い女性がいます。

当然、「美人ですね」というほめ言葉は聞き飽きています。

そこに、ある男性が「君はとても美人だけど、鼻にかけず、むしろ美しさが目立たないように謙虚にしている。そこがいいね」とほめました。

彼女は、そう言われて感激しました。その彼が今のご主人だそうです。

また、私が嬉しかったほめ言葉に、「軸がぶれないですね」という言葉があります。それまで意識していなかっただけに、40年間、一貫して取り組んできた話し方研究の成果が評価されたようで、そう言ってくれた相手に深く感謝しました。

つまり、人は自分でも気づいていない意外なところをほめられたとき、心に強く響き、深く印象に残ります。


しかし、それ以上に相手に喜んでもらえるのは、本人のコンプレックスを、逆にほめることです。

つまり、短所を長所に言い換えるのです。これには次のような言い換え方があります。

●気が弱い→慎重である、優しい

●短気↓行動力がある
●何事にも時間がかかる↓丁寧だ、大らかだ
●話が長い↓雄弁だ
●独善的だ↓決断力がある
●優柔不断だ↓優しい

これは物事を「プラスに見る」と共通した考え方です。言われた相手は、いつも自分の欠点だと思っていた部分をほめてもらえたので嬉しく強く印象に残ります。ぜひ普段から相手の短所を長所として見るようにしてください。

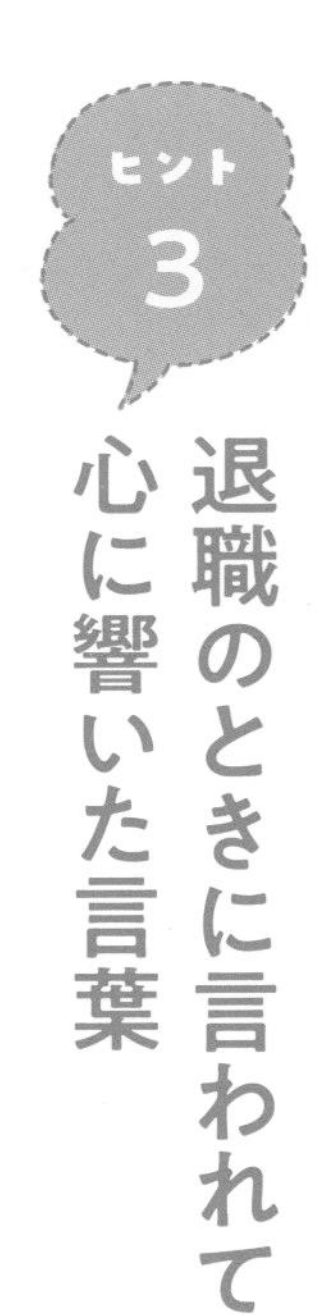

退職のときに言われて心に響いた言葉

◎相手の心にジーンとくる言い方

Eさんが「会社を辞める」という話をしたとき、多くの人は「どうして？」と驚き、理由を聞いたそうです。

それもそのはず、彼が勤めていたのは、誰もがその名を知る大企業でした。

「もったいない」「よほど嫌なことがあったのか」「辛抱が足りないよ」と口々に言われる中で、Eさんがいちばん嬉しかったのは、一人の友人が言ったひと言、

「お前らしいじゃないか」

というものだそうです。彼のことを本当によく知る友人にしか言えない言葉だったからでしょう。

ありきたりの平凡な言葉より、そしてどんなに短い言葉でも、自分のことを深く理解してくれた上での言葉は、強く心に響きます。

では、苦手なことを何とかやりとげた部下へ、あなただったらどんな言葉をかけますか？

単にほめるだけではなく、次のように言い換えると、よく見てくれていたんだなと相手は嬉しく思うはずです。

「やればできるじゃない」

「しっかり準備しただけあって、よくできていたよ」

失敗した相手には、こんな言い方もあります。

平凡な言い方

「大丈夫、たいしたことじゃないよ」

改善例

「いい経験をしたね。この経験は、きっとあなたの財産になると思うよ」

ただ単に励ますだけではなく、未来につながるメッセージになります。

ヒント 4

絶対に言ってはいけない5つの「ネガティブ・ワード」

◎「心の壁をつくってしまう」言葉は使わない

普段、いくら気をつかって話していても、たったひと言、マイナス言葉を言ったばかりに一挙にイメージダウン……そんな経験はありませんか？　会話に、ついうっかりはつきものです。

そんなうっかりをなくすために、まずは「使ってはいけない」言葉を覚えてしまうといいでしょう。１４９ページで紹介する５つの言葉は、「タブー」とも言えるネガティブ・ワードですので、会話の際は極力使わないようにしてください。

W社長は何か言うとき、決まって「悪いけど、○○さん」と言葉をかけます。

別に、本当に相手にとって「悪いこと」を言うわけではありません。相手に何かをお願いしたり、話しかけるときのちょっとした口グセのようなものです。けれど、そう言われるたびに、部下は「気分のよくないことをお願いされている」という印象を受けてしまいます。

こうした言い方は、あまりしないほうがいいかもしれませんね。

ただ「口グセ」になっている言葉は、言わないようにしようと意識しすぎると、かえって出てしまうことがあります。

たとえば、会話の間に少し間を置くとき、「え〜」とか「あの〜」などの言葉をはさむ人がいますが、こういう言葉は「言わないようにしよう」と思うと、逆に出てきてしまうようです。

「言わないこと」を意識するより、「最初は丁寧に挨拶しよう」とか、「元気よく自己紹介しよう」とか、むしろ〝プラスのフレーズ〟を意識して話すようにしましょう。

言ってはいけない「ネガティブ・ワード」

1 否定的な言葉

「全然」「ダメ」「できない」「嫌だ」など

2 無視、無関心をあらわす言葉

「別に」「それが」「だから」「関係ない」など

3 辛辣(しんらつ)な言葉

「あの人はバカだから」「どうしようもない」など
「私はバカだから」と、自己否定的なものも同様です

4 陰口・噂話・悪口

本人がいないところで言うのは、
決していいものではありません

5 感じの悪い口グセ

「悪いけれども」「要するに」
「だから」「でも」「だって」など

ヒント 5
「カチンとくるひと言」への対処法

◎「ご指導ください」の言葉は一挙両得！

世の中には、カチンとくる言葉を言う人がいるものですよね。相手によっては言い返すわけにもいかず、じっと我慢。いや、友人や後輩からの言葉でさえ、いろいろ波風立てたくないからと笑ってすませて、ストレスが倍増することも。

気分の悪いことを言われた場合、後味の悪くない反論の仕方はあるでしょうか？

まず、理不尽な言葉を投げかけられた場合。

税務署で仕事をしている公務員のHさん。若い女性ということもあり、相手からすると、文句を言いやすかったのでしょう。窓口でよく理不尽な言葉を投げかけられていました。

仕事とはいえ、毎日のように文句を言われるのがイヤでイヤで仕方がなかったようです。

けれどもあるとき、私たちが研修で教えている、「フィードバック話法」という手法を試みることにしたのです。これは誰でもできる簡単な方法で、相手の言うことを繰り返してみるだけ。


「税金高いなあ」

「本当に高いですよね」


「この前、住民税を払ったばかりだぞ」

「住民税を払っていただいたんですね。ありがとうございます」

こうした言葉を使ううちに、相手の反応が変わっていくのに気づいたそうです。

「文句ばかり言って申し訳ない。聞いてくれてありがとう」と、感謝されることもあるそうです。今では気持ちよく、自分の仕事をしています。

市役所の用地交渉課に勤めていたAさんは、前任者から引き継いだ仕事のトラブルで、クレームを受けることがたびたびありました。まったく畑違いの部署から異動してきたAさんは「お前じゃ話にならない。担当者に替われ！」と、怒鳴られたこともあったとか。

馴れない仕事で、しかも自分の落ち度ではないことまで怒られてストレスがたまり、大変な思いをしていたようです。

けれども彼は前任者のせいにはせず、お詫びをして、丁寧に対応をしていました。

そんな折、町を歩いていたら、ポンと肩を叩かれたのです。それは1年前にクレームをつけ、怒鳴ってきた相手でした。

「1年前にオレは文句を言ったよな。あのときは立ち退き問題で本当に大変だったからだけど、すまないなあと思っているよ。今はこうして立ち直り、幸せにやっているけど、考えてみれば、あのとき親身になって対応してくれたあなたのおかげだ。感謝

している よ」

このときAさんは、涙を流して感動したそうです。一緒に歩いていた子どもは、「なぜ、お父さん泣いているの？」と不思議がっていたということです。

理不尽な言葉は、たいていは相手の感情が発するもの。理由はハッキリしているのです。だから、相手を責めるのでなく、まずは、相手の気持ちや考えを聞き、性善説に立って対応をすれば、必ず和解の道は開けてきます。

カチンとくる言葉が返ってきたり、あるいはコミュニケーションに齟齬（そご）が起こったりする場合は、必ず背景に理由があります。相手が勘違いをしたり、逆上したりすることもあるでしょうが、それにカチンときて、態度にあらわしてしまっては、問題は、ますます解決しにくくなります。

素直に相手の言葉を受け止め、自分に非があれば先に認めてしまったほうが、コミュニケーションは円滑になっていくものです。

次に、こちらに至らなかった点もある場合。

新米講師の男性が、講演後、お客さまから「つまらなかった」と言われてしまったことがありました。

彼は激しく落ち込みましたが、そういう場合は、

「具体的に、どういう部分がつまらなかったのでしょう？　今後の参考にいたしますのでご指導ください」

と聞くようにすればいいのです。そうすれば自分の成長につながり、禍(わざわい)を転じて福となす、ですね。

もう一つ、会話がすれ違ってしまった場合についても触れておきましょう。

ある講師が初めて沖縄に研修に行ったときのことです。

研修の前の日の夜にはよくあることなのですが、緊張してなかなか眠れない。そこで羊が1匹、2匹……と数えてみたわけです。そこで、「ああそうだ、この話をツカミのスピーチで言おう」と考えつきました。

「昨日の夜は、そんなふうに羊を数えてみたんですよ。それでもなかなか眠れず、最後は羊が5千匹です。沖縄には、ずいぶん羊がいるんですねえ」

当日のスピーチで話してみたところ、ウケるどころか、会場はシーンとしてしまいました。この話はウケなかったか……と思いながらも研修を続け、昼休みに入りました。

そこで一人の受講生がその講師のもとを訪れ、ひと言。

「先生、沖縄には羊はいません」

ああ、真面目に受け取られてしまったのか……と思いましたが、弁解などせず、丁重にお詫びをしました。

「そうですか、勉強不足で申し訳ありませんでした。ご指摘いただき、ありがとうございます」

対応は、「カチンときた」場合と同じ。やはりコミュニケーションを「自分の問題」ととらえ、勉強させていただいたことに感謝すればいいのです。

「感情的になった相手」を落ち着かせる6つの方法

まず気持ちをほぐす

ちょっとした言葉が誤解を生み、相手が感情的になってしまうことはよくあることです。

あるいは、いわゆる「クレーマー」に怒鳴られて困ったとき、どう対処しますか？

それには「カッとなったら、話はおしまい」と私はよく言うのですが、感情的になっている相手とは、話をしても無意味です。まず、「相手の気持ちを落ち着かせ、ほぐす」ことが大事です。

ここでは、そのための具体的な方法を6つ、紹介しましょう。

1 間を取る

感情的な言葉に、反射的にすぐ返答するのでなく、間をおいて相手が反応するのを待ってみましょう。

10秒くらい、頭の中で数を数えて待ってみるのです。

激しい言葉を投げかけてきた相手でも、再び話しはじめたときには、声が落ち着いている……ということは、よくあります。

2 言葉を繰り返す

夫婦間にありがちな言い争いのケースです。

「あなたは、いつもそうなんだから！」

「えっ、いつもそう？」

「まあ、そうじゃないときもあるけど……」

感情的になると、ついつい人は事実を極端化してしまいがち。それがますます感情に火をつけてしまうわけです。

でも、同じ言葉を他人から言われると、自分が言い過ぎていることに気づきます。

気持ちのクールダウンのために「**相手の言葉を繰り返す**」というのは有効です。

3 受け入れる

感情的になっている相手に対し、いちばん悪いのは、自分も感情的になって対応してしまうことです。これでは解決できません。

相手が何を言おうが、こちらは冷静に対処していきたいものです。

まずは「なぜ相手は、これほど感情的になっているのか」を広い視点から考え、もし原因が自分の側にあれば、その部分を謝罪しないと話は先に進みません。

4 気持ちを見抜く

感情的になっている場合、「一度、刀を振りかざした手前、引っ込みがつかない」とか「自分の役割上、そうせざるを得ない」というケースもあります。

第1章で紹介した、私が若い頃に出向した会社で上司に感情的に不満をぶつけたケース（47ページ）も、これにあてはまります。

そのときの私のように、自分の気持ちを受け止めてもらえたとき、人は、その感情をやわらげることも多いのです。

5　落ち着かせる

相手の言葉がヒートアップしてきたとき、「ちょっと休憩にしようか」と、タイムラグを置く。

あるいは逆に、「今日は徹底的に聞くから。もっと話してくれ」と言います。するとたいていは「私、感情的になっていましたかね」と本人が気づくものです。

6　トーンを変える

声と説得力は、密接にかかわっています。

相手が感情的に早口になってきたときは、逆に低く、穏やかな声でゆっくり話すと、相手を落ち着かせることができます。逆にこちらも高い声になり、早口になると、相手もそれに増長されていきますから、声のトーンを意識して変えて話したほうがいいでしょう。

151ページでご紹介した「フィードバック話法」は、相手の言葉をオウム返しに言う方法です。

「私は悔しいんです」と言われたら、「悔しかったんですね」と復唱する方法ですが、これも低く、穏やかな声で言い聞かせるからこそ、効果的なワザです。

相手がいくら感情的になったとしても、あなたのほうが落ち着いていれば、次第にクールダウンしていきます。

「悲しいから泣くのではなく、泣くから悲しいのだ」という言葉もあるように、感情さえクールダウンさせていけば、より発展的な会話に立ち返ることはいくらでも可能なのです。

ヒント7

「すみません」は人間関係の最高の潤滑油

◎イライラしている相手に即効！

「すみません」「ごめんなさい」は、一般的には謝罪の言葉です。でも、これらの言葉を、あまりつかわない人がいます。それは「先に謝ると責任をかぶることになる」「ネガティブな言葉は言いたくない」からだと言います。

けれども欧米とは違い、日本には謙譲の文化があります。「先に謝る」ことで、人間関係の余計なトラブルを避けることもできるのです。

先日、混み合った電車の中で、女性に足を踏まれてしまいました。踏んだ人が反射的に「ごめんなさい」と言ってくれたので、「まあ、混んでいるし、仕方ないか」

と自分を慰めました。

しかし、踏んだ人が「混んでいる電車がいけないのであって、私が悪いわけじゃない」と、すぐ謝ってくれなかったら、どうでしょう。きっと「何だ、この人は失礼だな」と、電車に乗っている間中、イライラして、嫌な気持ちを引きずっていたでしょう。

これも私の体験したことですが、「**お詫びの言葉**」を先に口にすることによって、険悪な場面を回避できたことがあります。

忘年会の帰りに、友人と2人でタクシーに乗ったときのことでした。

私は酔っていて、行き先を告げるとき、運転手さんに、少々無理なことを言ってしまったらしいのです。

すると運転手さんは激しい剣幕で、「冗談じゃありませんよ！　非常識なこと、言わないでください！」。

私のほうは、急に怒鳴られてビックリ。「そういう言い方はないのではありませんか？　客として乗っていて、こんな言い方をされたのは初めてですよ」と抗議しました。

幸いにも一緒にいた友人が落ち着いていて、「まあ、櫻井さん、そんな大きな声を出さないで……」となだめてくれ、運転手さんも気を取り直して、車を出してくれました。

気持ちが落ち着いてから、私は早速、お詫びをしました。

「先ほどはすみませんでした。酔っていたとはいえ、大人げなかったです。でも運転手さんのほうも、あそこまで大きな声を出すとは、何か、他によほどのことがあったんですか？」

「いや、私のほうこそ、すみませんでした。実は忘年会シーズンで、酔ったお客さんに理不尽なことを言われることが多くて。先ほども、本当にひどいお客さんがいたんです。そこに、またお客さん（私）から、よくわからないことを言われたものだから、つい……」

私は運転手さんがイライラしていたわけがわかり、それから先は意気投合。車中で話がはずみました。

人との関係には誤解もあれば、行き違いもあるものです。でも、まず謝ることで道が開けることもあるのです。

第6章

「状況を思い通りに変える」会話術

――なるほど、その言い方があったのか!

ヒント1

相手が思わず「ひと肌ぬぎたくなる」！

◎「人を動かす人」はこんな言葉の使い方がうまい

会社勤めであれば、会社で上司からの指示を受けたり、後輩の指導をすることもあるでしょう。

それは必ずしも、仕事だから仕方がない、ということではないはずです。ちょっと面倒なことであっても見返りを期待せず、相手のためにひと肌ぬいで頑張ろう……そう思うのは、誰かのために行動することが、自分自身の満足感を刺激するからです。こうした気持ちを**「自尊感情」**といいます。

職場でも、この「自尊感情」を刺激して、相手が自ら積極的に動いてくれるような言葉が有効です。

「人を動かす人」「人の上に立つ人」は、このような言葉の使い方がうまいものです。

「自尊感情を刺激するフレーズ」として、次の「か・き・く・け・こ」を口グセにして覚えておくと便利です。

「か」……「かないません」

「○○さんにはかなわないな」など。相手の自尊感情を刺激するだけでなく、自分の懐の深さも印象づけます。

「き」……「気づきませんでした」

「それは気づきませんでした。さすがですね」など。ほめ言葉ですが、「教えてあげた喜び」も相手は感じます。

「く」……「悔しいけれども、私の負けです」

「悔しい」という言葉を言うことによって、相手の自尊感情を高めます。意見が食い違ったときや、言い合いになったときなど、こうした言葉が逆に相手を惹きつけることもあります。「負けるが勝ち」の手法ですね。

「け」……「結構、やりますね」

「なかなか、やりますね」など。相手とのオープンな関係性にもよりますが、互いを認め合う印象で、やはり強い絆をつくります。

「こ」……「こだわりますね」

相手の趣味や仕事への熱意など、「相手が大事にしているもの」へのこだわりを認めることが、相手の自尊心を強く刺激します。

“自尊感情”を刺激する「か・き・く・け・こ」

か 「かないません」

「○○さんにはかなわないな」など。

き 「気づきませんでした」

「それは気づきませんでした。さすがですね」など。

く 「悔しいけれども、私の負けです」

「悔しいけれども、○○さんの案のほうがリスクが小さいようですね。私の負けです」など。

け 「結構、やりますね」

「なかなか、やりますね」など。

こ 「こだわりますね」

「○○さんの調査の仕方にはこだわりがありますね」など。

質問は「目で聞く」「耳で聞く」「口で聞く」

◎「質問力」とは〝具体的に聞く〟力

会話上手は質問上手ということを、前述しました（43ページ参照）。これは仕事上での会話にもあてはまります。

社会経験が長いからといって、人は世の中のことをすべて知っているわけではありません。むしろ、知らないことをどんどん質問して吸収していける人ほど有能で、成功の道を歩んでいきます。

また、特に営業の仕事に携わる人は、まず質問して、相手の話を聞くところから仕事がはじまります。じっくり話をし、相手が何を求めているかがわからない限り、購買意欲を起こさせることができないからです。

ビジネス会話の「質問力」は、相手の話を具体化、多角化して聞く力であると考えます。そのために役立つフレーズを、次に紹介します。

「た」……「たとえば、どういうことでしょうか?」

相手の話を具体化することにより、お互いの理解を促進します。

「ち」……「ちなみに〜の場合はどうでしょう?」

別の可能性、あるいは相手が考えていなかったケースを想定する言葉。これにより、話し合っている事項を別の角度から検討することができ、可能性も広がります。

「つ」……「つまり〜ということですね」

簡潔に要約して、相手に確認する。これによって相手は「この人はちゃんと話を聞いてくれる」と自分への信頼を高めてくれますし、こちらの理解の仕方が間違っていないか、確認することもできます。

「て」……「（どの）ていどでしょうか？」

相手が求めているレベル、量を確認する質問です。特に「大量に購入することで、どの程度、安くなりますか？」「どの程度の時間で仕上げていただけますか？」など、値段や時間の交渉などで使用します。

「と」……「と、おっしゃいますと？」

相手の話を促進させる質問。質問内容を確認したいときなどに使います。具体的な答えをもらった後は、「なるほど」とか「よくわかりました」など、確認のあいづちを。

なお、質問は**「目で聞く」「耳で聞く」「口で聞く」**もの。

相手の目を見て傾聴する。聞いたことで確認したいことがあったら、さらに相手に質問する。全身で相手の話を受け止め、理解しようとする姿勢が大切です。

質問力アップのための「た・ち・つ・て・と」

た 「たとえば、どういうことでしょうか？」

ち 「ちなみに～の場合はどうでしょう？」

つ 「つまり～ということですね」

て 「（どの）ていどでしょうか？」

と 「と、おっしゃいますと？」

あなたの言いたいことは、しっかり伝わっていますか？

◎「せ・つ・め・い」で簡潔・明確な話に変身！

説明とは、「説いて明らかにする」こと。しかし自分だけわかっていても、第三者にわかるように話せなければ、何も伝わりません。

それには、「会話の三原則」（か…簡潔に、い…印象深く、わ…わかりやすく）を、いつも念頭に置いて話します（18ページ参照）。

なお、簡潔に、印象深く、わかりやすく説明するには、ただ言葉に頼るだけでなく、視覚に訴えることも必要です。

●表やグラフ、写真などの資料をつける。
●フローチャートなどで、流れがひと目でわかるようにする。
●過去にその製品を購入したお客さまの感想などをまとめたシートを用意する。
●特に強調したい点は、声をやや大きくする。ジェスチャーをつけるなど、ここがポイントだと、相手に伝わるようにする。

次のフレーズを口グセにしておくと、どの部分を「説いて明らかにする」かが明確になります。

いずれも重点ポイントや強調点を確認したり、明確にしたりする言葉です。

「せ」……「(話を) 整理してみましょう」
「つ」……「つまり、こういうことですね」
「め」……「(この部分は) 明確ですね」「明快ですね」
「い」……「いちばん重要なことは～」

たとえば、次のようになります。

「ここでいったん、問題点を整理してみましょう。

こちらのお店は、駅から徒歩、約15分。大通りから一本細い道に入ったところにあります。近くにあるのは花屋、雑貨屋などで、いずれも夜7時を過ぎれば店を閉めてしまいます。

つまり、通り全体が暗い感じになり、人通りが少なくなるということです。これでは、夜の食事の来客数が少なくなるのは明確です。

したがって、来客数を増やすためにいちばん重要なことは、店の存在をわかりやすくするために看板を工夫する、リピーター客を増やす、インターネットの検索の上位に出やすくする、などの取り組みではないでしょうか」

言いたいことがスッキリ伝わる「説明」のコツ

せ

「（話を）整理してみましょう」

つ

「つまり、こういうことですね」

め

「（この部分は）明確ですね」「明快ですね」

い

「いちばん重要なことは～」

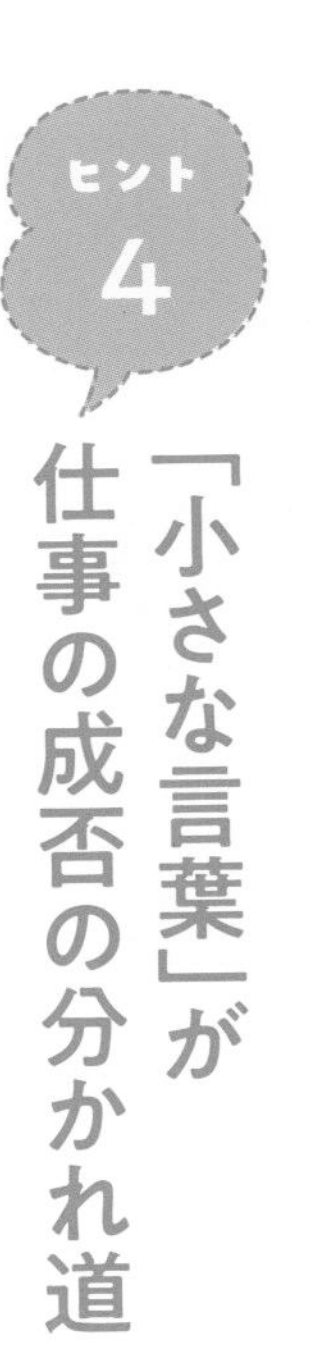

「小さな言葉」が仕事の成否の分かれ道

「言葉を言い換える」だけで格段の差が

私が営業の仕事をしていた頃、訪問先の受付で言われて、非常に嬉しかった言葉があります。それは、

「櫻井様ですね。お待ちしておりました」でした。こちらが伺うという連絡がちゃんと伝わっており、相手が待っていてくれる……これは、これから商談に入る身にとって、とても大きな安心感でした。たとえ商談がうまくいかなかったとしても、その会社には好感を持ったものです。このように接客する人が、相手への心配りを示す小さな言葉を使うかどうかで、その職場全体の評価が左右されることがあります。たとえば、次ページのように言葉を言い換えるだけで、ずいぶん好感度はアップします。

好感度アップの「小さな言葉」

「〜してください」

◎「〜していただけると助かります」

「すみませんが」

◎「恐れ入りますが」

「知らない人はいないと思いますが」

「ご存じない方のために説明しますが」

◎「ご存じの方もいらっしゃると思いますが」

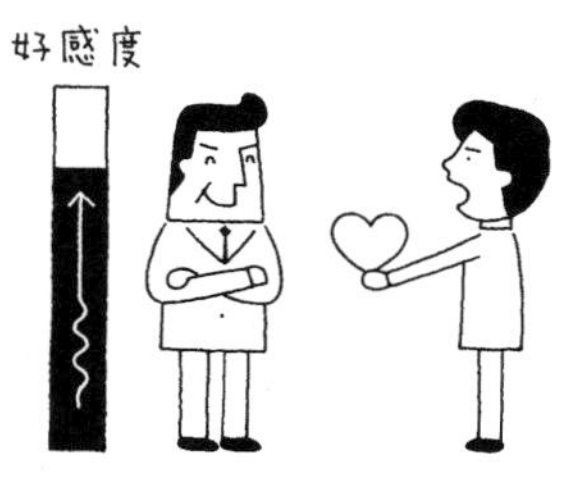

商談上手のこんな〝奥の手〟

◎ヒントは社長室の「額」にある!?

先日、知人に紹介されて、ある会社の会長さんと、面談をする機会がありました。会長一代で築いた、不動産関係の大きな会社です。

紹介されたときは、名刺交換をしただけでした。しかし、会長さんの人柄に興味を持ち、後日、「どんな会社なのか」とホームページで調べてみたのです。

そこには「会社の十則」というものが掲載されていました。しかも、そのあいさつに始まるコミュニケーションの鉄則は、私の考えと、かなり共通していたのです。

そこで「十則」に共鳴したことを手紙に書いて、お送りしました。その中に、私なりのコミュニケーション論も書き、自著も同封したのです。

数日後、会長さんからお電話がありました。

「十則は、私が何十年もかけて考えたものです」

「そうですか。すばらしいな、と感心したんです。コミュニケーションの原則に立脚していますよね」

と、話がはずみ、その結果、会長さんから、

「ところで、昔は社員研修を某社に頼んでいたのですが、しばらく中断していたのです。そろそろ再開しようと思っているのですが……」

と、研修の依頼につながりました。

もちろん、手紙を出した時点ではセールスの目的はありませんでした。しかし、相手の興味や関心を引いたことで、仕事の依頼につながったのです。

他にも、訪れた会社に掛けてある標語や絵画、応接室の置き物など、相手の「こだわり」に気づいて話題にすることで、いい結果になった経験はたくさんあります。目立つように飾られているということは、訪れた人に「気づいてください」と言っているのと同じこと。

壁に大きな格言の額が飾られていたら、「社長の座右の銘ですか。いい言葉ですね」と言ってみる。

ここから広がった話題は、実際に商談を行なうときの事例にもなります。

ところで、相手先の会社に呼ばれたとき、私が必ず聞くことがあります。

「今回、私どもとお会いになることを決めた、いちばんの決め手は何ですか？」

あるいは、

「今回の目的は、ひと言で言うと、どんなことでしょうか？」

こうした質問をぶつけることによって、相手が最も話したい内容に、すぐ入ることができます。

雑談を長くするよりは、核心をつく質問が有効であることも多いのです。

電話1本でも信頼される「対話術」

◎「相手の見えないコミュニケーション力」を高める5つのコツ

会話上手の人でも、電話での応対は苦手だという人がいます。それは相手が見えないからです。しかし、基本的には電話の応対も、対面の場合と同じです。

次に、注意点を5つ、まとめてみました。

1　態度に気をつける

まさか、ないとは思いますが、見えないからといって、ひじをついたり、背もたれによりかかったまましゃべったりするのは言語道断。いいかげんな態度は、電話であっても相手に伝わってしまいます。

「ありがとうございます」「申し訳ありません」と言うときには、目の前に相手がいると考えて、深々とお辞儀をしましょう。謙虚な姿勢は電話を通して相手の心に伝わります。

2　少しゆっくりめに話す

電話では声だけが頼りです。ゆっくり、ハッキリ、語尾まできちんと発音することが間違いを防ぎます。ところが、一般に電話では、いつもより早口になってしまう人が多いようです。くれぐれも「余裕」を忘れずに。

3　今、話していいかどうか確認する

電話に相手が出たら、

「今、お時間よろしいでしょうか」

「お電話よろしいでしょうか」

と、必ず相手の都合を確認します。ひょっとしたら、相手は大急ぎの仕事の最中かもしれません。普段は当たり前のように確認をしていても、急いでいたり、緊張して

伝言メモのとりかた

☑ まず「自分用メモ」を作成
（話のポイント、キーワードを記入）

☑ 次に「伝言用メモ」を作成

a 誰宛てのメモかを左肩に記入
b タイトル（「〜の件」など）
c 誰からの電話か
d 内容（箇条書き。特記事項があれば目立つように）
e 電話を受けた「日時」と「受けた人の名前」を記入

いたりすると忘れてしまうものです。

4　事前に送ったものがあれば、まず確認

電話の前に、相手に資料や契約書などを送ってある場合、まず、それが届いているかどうかを確認します。

その際、次のような言い方がベストです。

「資料は、ご覧になっていただけましたでしょうか？」

これを「資料は、お手元に届きましたでしょうか？」と言う人がよくいますが、それでは相手が「届きました」と答えた後、再度、「それでは、それを見ていただけましたでしょうか？」と確認することになり、二度手間です。

5　伝言メモは2種類つくる

伝言を受けてメモをつくる場合、前ページのように、「自分用」と「伝言用」の2種類をつくります。どちらも箇条書きで、簡潔にわかりやすく、改行は一行おきに。

ヒント 7

「仕事ができる人」の電話アポ

◎「相手に断られない」言葉の選び方

営業をはじめ仕事では会ったこともない相手に、依頼の電話をすることが多くあります。しかし、初めて電話をかけた相手から会う約束を取りつけるのは、かなり難しいもの。しかも相手の人となりがわからないのですから、言葉の選び方にも気をつかいます。そこで、ここでは電話でアポをとるためのポイントを5つあげておきます。

1 相手の都合に合わせる

自分の都合で「来週か、再来週でいかがでしょうか」と聞く人がいますが、それでは「ちょっと待ってくださいよ」と言われても仕方がありません。

「今の時期は新人研修が忙しいですよね。落ち着くのはいつ頃ですか?」

「ゴールデンウィークが明けて、配属が5月6日ですから、5月の中ごろですかね」

「では、6月のはじめくらいに連絡をとらせていただきますが、よろしいでしょうか?」

このように最初から「相手の都合優先」にしてしまえば、「NO」と言われにくくなります。

2 見通しを述べる

いきなり「会いたいのですが」と言われても、所要時間はどのくらいで、面談の目的・内容は……と具体的なことがわからなければ、相手も返事のしようがありません。

「時間的には1時間程度と考えております。目的は弊社が今までに手がけた商品のご紹介とお見積りで、こちらは先ほどお話しした資料をお持ちいたします」

このように具体的に説明をすれば、相手も見通しがつきやすくなります。

3　選択させる

「あらかじめ資料をお送りするか、あるいは私が直接うかがって説明いたしますが、どちらがよろしいですか」

このように選択肢を示します。すると相手は、より納得できる選択肢を選べます。選択肢は多すぎず、2～3程度にしぼってから選択してもらうとよいでしょう。

4　負担軽減をしておく

「今すぐ契約ということではなく、まずはごあいさつだけでも」

このように言っておけば、相手は「話を聞いた上で断ることもできるのだな」と精神的な負担が軽くなります。

もちろん「あいさつだけなら、来なくてもいい」と言う人もいるでしょうが、電話でのやりとりより、直接面談して話をしたほうがお互いが安心できるので、お勧めのフレーズです。

5 「限定質問」からニーズを探る

商品の販売などでは、「限定質問」をすることによって具体的に相手のニーズを探り出し、そこからこちらの商品を提案するというやり方をとることがあります。

「○○様のところの機械はデジタルですか、アナログですか？」

「両方ありますが……」

「デジタルのほうは、どんな使い方をしていますか？」

「設計管理のところでこう使っています」

「なるほど、御社のことは新聞で拝見しましたが、私どもには御社にとって非常に使い勝手のよい商品がありますので、一度、説明のためのお時間をいただければと思いますが、いかがですか？」

このような具合に、話のつながりや流れがよくなるわけです。

部下の「やる気」を引き出すひと言

◎視点を変える・部下を認める・信頼する

部下に「やる気」を起こさせるには、どんな声かけをすればいいか——これは私のところにも、毎年のように要望が寄せられる、ニーズの高いテーマです。

実は「こう言えばＯＫ」という決め言葉はありません。たったひと言で、生まれ変わったように部下のやる気が満ちてくるということは、めったにないと考えたほうがいいでしょう。

あくまでも部下のタイプ、置かれた状況によって、いちばん合った方法を考え、根気よく「やる気」を引き出していくのです。

「考え方のポイント」は3つです。

第一は「**視点を変える**」ということです。

たとえば、部下が落ち込んでいる場合、自分のミスなど要因となった一つの問題しか見えなくなっていることがあります。このような場合、上司は、それ以外のことに目を向けさせるような声かけをします。

「**みんなが心配しているぞ**」

と言えば、「そうか、いつまでもこだわっていては、周囲の人に影響するな」「次の仕事は成功させよう」と、視点が変化して、立ち直るきっかけになります。

逆に、上司が「君がいなくても誰も心配していないからな。全然困らないぞ」などと言ったら、「パワハラ」になってしまいます。

2つ目は「**部下を認める**」こと。

「一度や二度の失敗が何だ。命を取られるわけじゃない。いつもの君に戻って、次の仕事で挽回すればいいじゃないか。君ならできるはずだ」

「罪を憎んで人を憎まず」ではないですが、こう言えば、悪いのは失敗やミスであり、部下個人ではない、また失敗を繰り返さなければいいのだ、という挽回への励ましのメッセージが伝わるはずです。

3つ目は「**信頼**」です。

私は新人には必ず、メールで「期待していますから」と送るようにしています。

部下が「やる気」をなくす理由の第一位は、上司の無関心だそうです。

さらに、「君が失敗すると私が迷惑するよ」とか「困るじゃないか」という自分の都合しか考えていない発言をする上司のもとでは、部下はやる気をなくします。

上司はたえず「あなたのことを信頼している」「期待している」というメッセージを発信すべきなのです。それが部下の自信と成長につながります。

ヒント 9

「部下の心に火をつける」上司のひと言

◎「頑張れ」と言っていいとき・悪いとき

部下を叱咤激励するとき、つい「頑張れ」と言いたくなるものですね。

けれど最近は、「頑張れ」は、あまり使わないほうがいいと言われています。落ち込みやすい人には、その言葉自体が大きなプレッシャーになってしまうからです。

そもそも「頑張れ」という言葉は、単に「結果を出せ」ということであって、「相手のため」なのか「自分のため」なのか、ハッキリしません。

重要なのは「頑張った結果、どうなるか」であり、頑張ることそのものではないのです。言う側は、そこをハッキリさせるべきではないでしょうか。

●言わないほうがいいとき

決算期が近くなると、「まだ目標に達していないぞ。目標達成まで頑張れ！」などという威勢のいいかけ声が聞かれますが、そう言われたからといって、めらめらと燃えるようなやる気が出てくるわけでもないでしょう。

●言って効果があるとき

「みんな、君の活躍に励まされているんだ。みんなのために、頑張ってくれよ」と言われれば、モチベーションは高まります。

「やる気を出させる言葉」を「激励」ととらえている人がいるかもしれませんが、実は「説得」なのです。

そのためには第一に「相手との関係」をつくり、第二に「理解」をし合って、最後に「行動をうながす」という3つの段階を踏まえなければいけません。

つまり「頑張れ」という「お願い」を了解してもらうには、まず「さすがだね」とほめた上で丁寧に説明をして受け入れてもらうというプロセスが重要になるのです。

ヒント 10

上司がついOKを出すこんな言い方

◎「上司に意見を通す」確実な3つの方法

上司について、部下の側から寄せられる悩みとして、「うちの上司は頭が固い」「企画を提案しても頭ごなしに否定され、こちらの意見などまったく通らない」という不満があります。

でも、実は部下の側の言い方ひとつで改善できるケースも多いのです。

ここでは、上司に意見を通すための言い方について考えてみましょう。

第一に必要なのは「**謙虚さ**」です。

意見を述べるのでなく、「教えていただけますか?」と、あくまで〝相談する〟立場で話を持っていきます。

「こんな企画を考えたのですが、課長のご意見をうかがえますか？」

といった具合ですね。

よく企画書や報告書を提出する際、「内容には絶対自信があります」「完璧です」などと言う人がいます。それが「自分のアピールになる」と考えるのでしょうが、上司からすれば、「それを決めるのは私だ」「生意気だ」と、印象を悪くするだけ。

中にはそういう強気で怖いもの知らずな部下を好む上司もいるでしょうが、一般的には謙虚に話すことは相手の自尊心を満たすので、損になりません。


2つ目は、上司に「**選択肢を示す**」こと。

部下の提案に対して、是か非かを決めるのは上司の仕事。

なのに、「課長、これしか方法はありません。決裁をお願いします」「私の考える通りにやらせてください」と言うのは、傲慢ととられかねません。

そこで「選択肢を示す」のです。

「無難なA案、中間のB案、リスクはありますが、思い切ったC案と、3つのプランを考えてみました。私はこの際、C案がいいのではないかと思いますが、課長はどう思われますか？」

と聞けば、

「そうだな。中途半端はよくないな。よし、思い切ってC案でやってみよう！」

と、あくまで上司の側には、「最終的には自分が選んだ」という満足感が残ります。

3つ目は「**報告をして、確認をとる**」ということです。

職場のコミュニケーションとして、いわゆる「ほう・れん・そう（報告・連絡・相談）」が重要だということは知っていますね。

中には「いちいち細かい報告や確認なんて意味がない」と言う人もいますが、これらには、単なる情報の交換にとどまらず、上司と情報を共有し、連帯感をつくっていく意味合いがあります。

たとえば、課長と話すより、権限の大きな部長に直接話したほうが手っ取り早い、と課長をとばして部長に了解をとってしまう人がいます。それも「できる人」に意外と多いのです。

たしかに仕事はスピーディに進むかもしれませんが、課長にとっては面白くありません。不協和音が出てしまいます。

実は上司との関係に限らず、普段の会話から人間関係を築いていったほうがトラブルを避けやすいというデータがあります。

したがって、こまめに「報告・確認をする」人ほど信頼され、仕事を任されやすくなる、といえるのです。

ヒント 11

「伝えること」と「伝わること」

◎「報告」の会話術5つのポイント

前の項で述べた、報告の会話術を、もう少し踏み込んで説明します。

というのも、「報告」は「ほう・れん・そう」の先頭にくる基本的な会話術でありながら、正確にきちんとできる人は、意外と多くないからです。

1　結論から先に

よく言われることですが、「意見」から先に言ってしまう人が多いのです。

「先方では、非常に喜んでいたみたいです」

「今回の新商品、関西のほうでは好調のようです」

いずれも自分の意見や感想にすぎません。

経営判断をくだす側は、「先方は、どんな反応を示したのか」「どういうことが決定されたのか」「どこの店舗でどのくらい売上げがあったのか」など、具体的な事実情報がほしいのです。報告する側は、結論を第一に言いましょう。

2 正確に・簡潔に

報告は、「三点法」で伝える言い方を習慣にしてください。

「○○の件で、報告が3つあります。

第一に……。第二に……。第三に……」

こうした言い方をすれば、聞いているほうは実にわかりやすい。

ところが、実際、これを実践しているビジネスマンは、1パーセントにも満たないそうです。ということは実践すれば効果絶大です。

3つにまとめると、一つひとつの問題がシンプル&ショートセンテンスで簡潔になり、聞く側が理解しやすくなります。

報告の際は、まず「○○について報告が3つあります」と口から出てくるくらいに習慣づけるといいでしょう。

3 悪い報告ほど早く

「いい報告」より、「悪い報告」のほうを早くする。

なぜなら「悪い報告」には何らかの対応が必要だからです。しかも場合によっては、経営者の決断が必要になります。

放っておいたら、どんどん事態が悪くなる可能性もあるのですから、とにかくすぐに上司に伝えなければなりません。

けれども悪いことを報告するのには、やはり勇気がいります。

前に、ミスを報告した人が部長から「ありがとう」と言われた話を紹介しました。あれくらい「できる」上司だったらいいのですが、中には激怒して罵倒(ばとう)するような上司もいるでしょう。

それでもとにかく「**素直に謝ること**」です。

スピードはこれからの社会においてますます大切になります。失敗したら、とにかく早く報告をし、少しでも損失が少なくなるように全力を尽くすしかないのです。

その後、機会があれば、

「**いい経験をさせていただきました。本当にありがとうございます。今後はご期待にこたえられるよう努力しますので、これからのご指導もよろしくお願いします**」

と、上司に自分のミスをカバーしてくれたことを感謝し、今後の意気込みを伝えましょう。これをきちんと言うことが、自分の信頼回復につながっていくのです。

そして、上司の側にアドバイス。普段から、部下が悪いことでも報告しやすい雰囲気や環境をつくっておくことが重要です。なぜならそれが、結局は損失を最小限にしてくれるからです。

4 意見は最後に

1で説明したように、報告の第一は「結論」であり、「**事実を伝えること**」です。

その後、「こうしてみてはいかがでしょうか？」と自分の意見を言います。

この段階をきちんと踏めば、「報告」がそのまま「提案」として生きてくるのです。

5　ニュアンスを伝える

これも事実の後に伝える「意見」の部分になりますが、感じた「ニュアンス」を報告するのは意外と重要。というのも、これは現場を見て、直接対応した本人でなければわからないことだからです。

「かなりお怒りのご様子でした」
「いつもと違って、ずいぶんカリカリしていました」
「お急ぎのご様子でした」
「いつになるのだと、何度もそうおっしゃっていました」

こうした〝現場にいたからこそ感じられたニュアンス〟や具体的なフレーズは、判断をくだすために重要な情報となります。

「報告」の会話術5つのポイント

❶ 結論から先に

意見、感想より「結論」を第一に

❷ 正確に・簡潔に

「○○の件で、報告が3つあります」と
「三点法」で伝える言い方を習慣にしてください

❸ 悪い報告ほど早く

「いい報告」より、「悪い報告」のほうを早くする

❹ 意見は最後に

きちんと段階を踏めば、「報告」がそのまま
「提案」として生きてくる

❺ ニュアンスを伝える

"現場にいたからこそ感じられたニュアンス"は、
判断をくだすために重要な情報となります

ヒント12

相手の気を悪くさせずに「反論する、断る」

◎自分の考えに納得してもらう5つの方法

反対意見を言ったり、断ったりするのは相手の気持ちを損なわないように気をつかうものですね。気が進まないという人も多いでしょう。

しかし、「反論・断り」は拒絶ではなくて「逆説得」と考えるべきです。説得である以上、相手の言うことを理解した上で、自分の考えに納得してもらえばいいわけです。

1 理解する・共感する

「私も○○さんの立場であれば、そうしますよ」

反対意見を述べる前にこう言って、相手の立場に理解を示しておきます。相手は

「理解されている」と感じるので、こちらの意図や意見を聞いてもらう状況が整います。

まず理解や共感を示してから反論する言い方として、「ＹＥＳ・ＡＮＤ法」と呼ばれるものがあります。「ＹＥＳ・ＢＵＴ法」に似ていますが、こちらは「その通りです。ですから私はこう思うのです」という主張法。

反対ではなく、「賛成だからこそ、あえて言うのです」と強調するわけです。

2 立場を変える

「もし、部長でしたら、何とおっしゃいますかね」と、他人の立場から意見を言う方法。経営トップやお客さまの立場からの意見を出すことで、相手の納得を得ます。

「社長は絶対、認めないはずです。何よりお客さまに不安を与えることは、絶対にやらない信念を貫いてきた方ですから」

3 仮説設定をする

「仮に予算があったとしたならば、可能でしょう。では、いつ、その予算をお取りに

なりますか？」

「秋口です」

「秋口ですね。では、今やる必要はないですよね」

このように「仮に○○だとすると、こうなる」と仮説を立てて、論理的に相手を説得していく言い方です。

4　交換条件をつける

「今でなければ、いつでもOKですよ」

「私でなければ大丈夫ですよ」

「必要な資料をそちらで用意していただければ、やりましょう」

交換条件にはいろいろなものが考えられると思いますが、不可能であれば、相手も要求できなくなってきます。

5　拡大思考する

より大きい角度からアプローチしていく方法です。

「逆説得」に成功する5つの方法

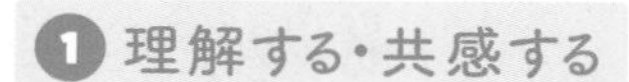

❶ 理解する・共感する

相手の立場に理解を示す

❷ 立場を変える

「もし、部長であれば、何と言いますかね」と、他人の立場から意見を言う方法

❸ 仮説設定をする

「仮に予算があったとしたならば、可能でしょう。では、いつ、そのご予算をお取りになりますか?」

❹ 交換条件をつける

「必要な資料をそちらで用意していただければ、やりましょう」

❺ 拡大思考する

極端、大げさに言うことで、自分の立場を理解してもらう

「あなたがおっしゃることは、結局のところギャンブルをするのと同じではありませんか。仮に儲かったとしても、私は手を出したくありませんね」

など、極端、大げさに言うことで、自分の立場を理解してもらいます。

断らざるを得ない事情をきちんと説明した上で、しっかり相手をフォローする姿勢を見せれば、断ってもかえって信頼を得ることができます。

フリーのデザイナーとして活躍するTさんに仕事の依頼がありました。

しかし、あいにくスケジュールがいっぱいで依頼された内容も自分の得意分野とは異なっていたため、今、仕事を受けるのは難しそうです。

しかし、世話になった紹介者をはさんでの依頼だったので、むげに断るわけにもいきません。そこで、代わりの人を紹介することにしたのです。

「やはり、この仕事は、私には任が重いようです。なぜなら私の専門分野ではないし、この分野の経験も少ないからです。そこで、Aさんではどうでしょう。Aさんなら、私よりずっとうまく要望にお応えすることができると思うのですが」

「なるほど、ただAさんをよく知らないし、我が社でも実績がありませんから……」

「それなら大丈夫です。私はAさんをよく知っていますし、何なら私が連れて行って紹介をする段取りをつけましょう。御社の社長にもご説明いたします。そういうことで、いかがでしょうか」

「ならば、よろしくお願いします」

「お時間がよろしければ、今、Aさんに電話してみましょう」

このように段取りをつければ、断られた相手からも、紹介者にも感謝されます。


最初から「私にはできません」「他の人に頼んでください」では、相手も困ります。また「忙しいですから」も自分側の都合だけで、相手のことを考える配慮に欠けています。仕方がない事情があるとはいえ、「この人は大事なときに頼りにならない」「もう二度と協力してやるものか」と判断されてしまうこともあるでしょう。

納得してもらえるまで説明し、代案を示し、理解を得る。「今回は断られたけれど、次回はまたお願いしたい」と感じさせる人こそ、断り上手な人なのです。

ヒント13

「言いにくいこと」を言わなければならないときは

◎「クッション言葉」も効く！

私が相談を受ける中で、もっとも多い悩みの一つに、何か聞くたびに「そんなこともわからないのか」と皮肉を言う上司への対処法があります。質問のたびに何か言われるのではないか、と思うと気づまりだが、しかし教えてもらわないと仕事ができない、ということで悩んでいる若手社員が大勢いるようです。

こういう場合は、「言われそうなこと」を先回りして、自分で言ってしまうのも一つの方法だと思います。

「部長、申し訳ありません。また、『そんなこともわからないのか』とおっしゃるかもしれませんが、一つだけ、どうしてもわからないことがあるので、教えていただきたいのです」

少し勇気のいる言い方かもしれませんが、中にはこの言葉によって、「ああ、自分は普段、そういう嫌なことを言っていたのだな」と気づく上司もいます。

もう一つ、言いにくいことを言う前につけるといい「クッション言葉」を紹介しておきましょう。

私が以前、所長をしていた「話し方研究所」での話です。

研修用のシートを時間をかけて、一生懸命につくっている若手の講師がいました。新人研修用なので基本的な項目を入れておけばいいだけなのですが、項目ごとにたくさんの資料を引っ張り出して、一つひとつ参照しながらつくっています。

あまりにも時間がかかるので、つい私は「シート1枚をつくるのに、どれだけ時間をかけているんだ！」と文句を言ってしまいました。

その講師は「すみません」と謝ったものの、みんなの前で叱られて、顔が赤くなっていました。

指摘は正しかったにしても、もう少し言い方があったのではないか、と反省したものです。

こういうときも、はじめにクッション言葉をつけておくと、相手に与える印象がだいぶやわらかくなります。

改善例

「うるさいことを言うようだけど、すでに君は一人前の講師として十分に経験を積んでいる。基本的なことにはあまり時間をかけずにできるようにしてほしいんだ」

他にも、部下に同じことを繰り返して言わなければならないとき、嫌がられそうだと思ったら、こう言ってみましょう。

「**説明がうまく伝わらなかったかもしれないから、もう一度言うけど**」

これで相手の受け取り方も大きく変わります。

応用例

「嫌なことを言うようだけど」

「失礼かもしれませんが」

「あなたは言われたくないかもしれないけれど」

ヒント 14

「敬語」は間違いやすい！

◎どう使う？「尊敬語」と「謙譲語」

尊敬する経営者の一人に、若い人と話すときも「です・ます」調で話す人がいます。年齢、立場を超えて、常に相手に敬意をはらい、礼儀を尽くす姿勢のあらわれでしょう。

敬語とは、文字通り、相手に敬意をあらわす言葉。「習うより慣れろ」で、自然と口から出るように言い慣れておきましょう。

まずはマジック・フレーズのおさらいです。

「**恐れ入ります**」

「**お手数をおかけします**」

「失礼ですが」

話しかけるときや、相手にお願いするとき、最初につけると、とても印象がよくなります（109ページ参照）。

敬語の使い方で、もっとも混乱しやすいのは「尊敬語」と「謙譲語」です。これらは、主語が誰かで使い分けます。

・「相手がすること」には「尊敬語」を使う。
・「自分がすること」には「謙譲語」を使う。

ですから、

お客さまが見たり聞いたりするなら、「ご覧になってください」「お聞きになってください」（尊敬語）

自分が見たり聞いたりするときは、「拝見します」「うかがいます、拝聴します」（謙譲語）

その他、基本となる動詞の尊敬語・謙譲語は覚えておくといいでしょう。

言うまでもないでしょうが、ビジネス上では「自社の社長」より「お客さま」のほうが上です。会社での人間関係は「身内」に当たるからです。

だから「田中部長は、いらっしゃいますか？」と先方から聞かれたら、「田中は出かけております」と答えます。

新入社員などで「田中部長はいらっしゃいません」と言う人がいますが、これは二重に間違っているわけです。

ただし、例外もあります。

たとえば、部長の奥さまから電話がかかってきた場合は「田中部長はいらっしゃいません」と答えます。

上司・部下を問わず、社員の家族は血のつながった関係で、身内同士の密度が高くなるからです。

間違いやすい「尊敬語」と「謙譲語」

尊敬語	基本の語	謙譲語
いらっしゃる	行く	うかがう
おいでになる いらっしゃる お越しになる	来る	まいる
なさる	する	いたす
おっしゃる	言う	申す
ご存じ	知る	存じ上げる
おいでになる いらっしゃる	いる	おる

第7章

ケース別・今さら聞けない「仕事の微妙な場面」での話し方

――ピンチを脱するための会話術

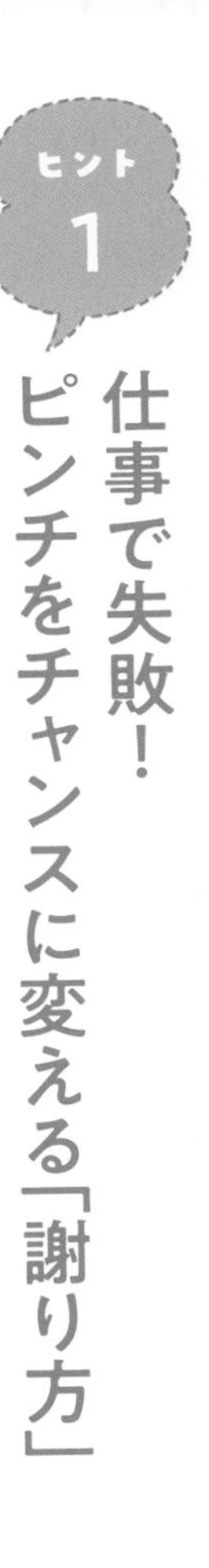

仕事で失敗！ピンチをチャンスに変える「謝り方」

あるアンケートによると、今、ビジネスマンが仕事でもっとも苦手としているのが「微妙な場面での話し方」だそうです。

特に「謝り方」「電話」「苦手な相手のかわし方」「叱り方」「励まし方」をのコツを知りたいビジネスマンはかなり多い様子です。

そこでこの章では、さまざまな状況における「ピンチを脱するための会話術」を紹介していこうと思います。

◎Case1　こちらのミスで取引先が激怒

こちらが重大なミスを犯してしまい、取引先が激怒してしまった。「すぐにご説明

にうかがいます!」と言ったが、「来なくていい! 二度と来ないでください!」と取りつく島もない。少しでも相手の感情をやわらげるためには、何と言えばいいか。

⇓「直接お会いして、お詫びさせてください」

⇓「上司と一緒にうかがいたいと思いますので、ぜひご説明させてください」

「誤りを正す最良の方法は、誤りを認めることである」といいます。

謝りに行きたくても「来なくていい!」と言われてしまう場合も多いですが、拒否されても、やはり何度でも電話して面会を求める以外、方法はありません。

相手が電話に出てくれないこともあるかもしれませんが、「上司と一緒にうかがいます。ぜひご説明させてください」と伝言を頼むこと。そうすれば組織としての対応となり、先方の周囲に誠意が伝わります。その結果、事態が動く可能性もあります。

一度に解決するのは難しいでしょうが、誠意を尽くして、相手の感情がクールダウンするのを待ちましょう。

◎Case2 上司の期待に応えられず、仕事で失敗

上司が期待して任せてくれた仕事で失敗してしまった。思い返してみれば、仕事を進める上で、上司への報告や相談も、もっときちんとすべきだった。当然、上司の失望も大きい。どうすればよいか。

⇩「申し訳ありません。自分の勉強不足がよくわかりました。今後はこのようなことがないように努力します」

こういうケースでは、仕事を任せた上司自身のショックも大きいはず。

「何をやっているんだ！　細かく報告さえしてくれていればこんなことにはならなかったのに！」と叱責されるかもしれませんが、とにかく先手を打って、自分から「申し訳ありません」と謝ること。怒られてから謝っても、「申し訳ないですむか！」と、怒りの火に油を注ぐだけです。

ヒント 2

電話を上手に断るには？

最近はメールでの仕事のやりとりが多くなりましたが、電話の応対も、直接顔を合わせての会話より気をつかうものです。その上、ビジネスマナーを無視した相手には、さらにストレスがたまるもの。

そんな場合は、どうしたらよいでしょう。

◎Case3 都合の悪い相手からの電話に居留守を使う上司

都合の悪い相手から電話がかかってくると、いつも「いないと言って」と言う上司。そのたびに「○○は外出しております」と言うけれど、そのうち相手も怒って、「折り返し電話をくださいと何度も言っているのに電話がこない。ちゃんと伝言してくれ

ているんですか？」と責められる。板ばさみになってストレスがたまる。

⇩「〇〇ですね！　昨日もお電話いただきましたよね！　その件は、もう〇〇もわかっているはずです。念のため、今もメモを残してあります！」

上司本人だけでなく、周囲にも聞こえるように言うのがポイント。いわゆるアクティブ・リスニングです。

さらに、自分から言いにくければ、先輩・他の上司などからも、その上司に伝えてもらうとよいでしょう。そもそも電話に出ないのはビジネスマナーに違反しています。周囲を巻き込む形で協力してもらうようにしましょう。

Case4　相手が長電話で仕事にならない

大切な取引先だが、いつも長話で、なかなか電話を切ることができない。相手に失礼に思われたくはないけれど、どうでもいい電話で時間を無駄にしたくない。電話を切るにはどう言えばいい？

⇩「あっ！　ちょっと失礼します。えっ！　私に電話？」
（と、ちょうど大事な電話がかかってきて呼ばれているかのような話し方で、相手に聞こえるように大きい声で言う）

相手から、こちらが見えないことを利用します。

⇩「今日はこれから（○時から）出かけなければならないため、誠に申し訳ありませんが、手短かにお願いします」

⇩「もっとお話ししたいのですが、なにぶんにも、外出の予定がせまっていますので、残念ですが、今日はここで切らせていただきます」

⇩「これから会議がありまして。申し訳ありません、後ほど、かけ直してもよろしいでしょうか」

ただし、いずれの場合も、毎回は使えないので注意が必要です。

ヒント3 かかわりたくない相手をうまくかわすコツ

仕事ともなれば、つき合いたくない相手とつき合わなければならないことも多いもの。

取引先、上司、同僚、部下……、できれば周囲と波風立てず、うまくやっていきたいと思っても、なかなかそうもいかない状況に置かれてしまうこともあります。

ここでは、できれば相手と関わりたくない状況で、相手の気分を害さず断る言い方を紹介します。

◎Case5 愚痴や悪口ばかり言う同僚にウンザリしている

同じ部署に、何かというと上司や会社の悪口や愚痴を言う同僚がいる。確かに当た

っている部分もあるし、気持ちがわからないわけではないが、いつも聞かされるほうはウンザリしてくる。「なあ、そうだろ?」と同意を求めてくるのも困る。同僚の気分を害さずに話題をきりあげるには、何と言えばいいか。

⇩「ビジネスマンの世界では、よくある典型だな。ところで、あの件はどうなった?」(いったん受け止めてから話を変える)

⇩(飲んでいるときなど)「いない人の悪口はよそうよ。せっかくの酒がまずくなるよ」

⇩「君も、ずいぶんストレスをためているんだな! そういうタイプには見えなかったけどなあ。君にもそういう面があったんだ……」(相手にマイナスイメージを抱いたかのようなそぶりをする。相手は焦って、自分から話題を変える)

⇩「相手にも立場もあれば事情もあるんじゃないか? 君が逆の立場だったらどうする?」

◎Case6 お世話になっている取引先から、気乗りしない案件を頼まれてしまった

いつもお世話になっている取引先から気乗りしない案件を何度も頼まれているが、条件的にもとても引き受けられる内容ではない。お世話になっている相手なので、数字を出して丁寧に説明するが引き下がらない。多忙な上司に話を持っていったら、「なぜ、君のところで断らないのか！」と叱られ、自分の評価が下がってしまうかもしれない。相手の面子（めんつ）をつぶさないように断るには、何と言えばいいか。

⇓頼まれたのが一回目であれば、「私の一存では決められませんので、一度、上司に相談してみます」と、ダメだと思ってもとりあえず話を受け、少し時間を置いてから「やはり無理とのことでした」と断わります。

しかし、何度も頼まれた後では、この手は使えません。

「せっかく何度もいただいているお話ですが、やはり上司を説得する自信がありません。通常の条件ではダメなのでしょうか？」と仕切り直して、そこから少しずつ譲歩

を引き出します。

⇩「よほどの理由があるのですね？　いつもならそんなレベルのことはおっしゃらないのに……」

相手がそんな話を持ち出すのは信じられないという表情で相手の真意を探り、相手が自尊心から話を撤回するのを待ちます。

ヒント4

嫌味にならないように苦情を言う方法

最近、「クレーマー」という言葉をよく聞きます。何にでも文句をつける人のことですが、この言葉が流行り出してから、何か苦情を言うと、「この人はクレーマーではないか」という目で見られそうで、言い方に気をつかうという声も聞きます。

そもそも、苦情は何のために言うのでしょうか？

私は相手に対してよくなってほしい、改善してもっと素晴らしいサービスを提供してほしいと、相手のことを思って言うものだと思っています。

よって、苦情は感情的にならず、理路整然と、そして相手のためを思っての指摘である、という姿勢を示すことが大切です。

しかし、大切な取引先などが相手となると、言いにくいもの。そんな場合は、どうしたらいいでしょう。

◎Case7 取引先との関係を壊さないように苦情を言うには

いつも信頼できる取引先から、なぜか今回に限ってレベルの低いものが上がってきた。もう少しグレードが高いものにやり直してほしいが、相手との関係を壊さずに、やんわりとクレームをつけるには?

⇓「どうしたんですか? 今までの実績があったからこそお願いしてきたのに、これでは、もう次に頼めなくなってしまうかもしれません」

⇓「今回は忙しかったんですか? これまでの御社の仕事の出来ばえとは違っていたので……」

ビジネスなのだから、嫌味にならないような言い方で、不満な点はきちんと伝えること。

その上で、「このままでは御社以外の取引先にお願いすることも考慮しなければなりません」と率直に言えば、先方もやり直さざるを得ないでしょう。

◎Case8　内輪の話を外部に漏らした同僚に苦情を言いたい

同僚を信頼して、「絶対言うなよ」と口止めしてから上司に対する不満を口にしたら、その同僚が約束を破って、上司に告げ口したらしい。上司に何と釈明するべきか。それとも何も言わずにおくべきか。また、内輪の話を外部に漏らした同僚に釘を刺したいが、何と言えばいいか。

〈上司に対して〉

⇩「私がそんなことを言ったというんですか？　そのような意味で話したことはないはずですが」

⇩「もし言ったとしたら申し訳ありませんでした。でもまさかそんな飲み会での会話、部長も気にされているわけではないですよね？」

（「言っていない」と言ってはウソになるので、「飲み会の席でのこと」ととぼけた上で、「でも、そんなことを気にするような器の小さい部長ではないはず」と言う）

〈同僚に対して〉

⇩「君を信じていたのに、残念だよ」

（「ここだけの話だけど」は、まず守られることはないと考えたほうがいいでしょう。
つまり、言った自分にも責任があるので、苦情のほうもさりげなく）

ヒント
5

気のきいた励まし方・ほめ方で、仕事もうまくいく

◎Case9　落ち込んでいる部下に対する気のきいた励まし方は？

いつもは明るく、職場のムードメーカーとなってくれる元気いっぱいの部下がいる。ところが仕事で失敗して、見ていられないほど落ち込んでしまった。

「気にするな」「今度、飲みに行こう」などと、彼の同僚も声をかけているらしいが、効果がない。期待している部下だけに、何とか励ましたいが、上司として気のきいた言い方はないか。

⇓「君が落ち込むと、周囲も心配するぞ」

⇓「君が早く立ち直るのを、みんな待っているぞ」

⇩「失敗は誰でもある。次につなげればいいんだ」

いつもは明るく人気者の部下だけに、周囲が心配していると気づけば、落ち込んでばかりはいられないはず。

⇩「たまには君の落ち込んでいる姿を見るのもいいものだな。めったに見られないからな」

部下が自信家であるなら、こうした言い方も効果的。こう言われれば、多少なりとも癪(しゃく)なので、立ち直りも早いはずです。

Case10「イマイチな部下」を伸ばすには

何をやっても「イマイチ」な部下がいる。性格は素直でやる気もあるのだが、気がきかない、詰めが甘いなど、未熟なところが目につき、つい叱ることが多い。このタイプは叱るよりほめて伸ばしたほうがいいと言われるけれど、性格はともかく、仕事でほめるところが見つからない。

⇓「今日の書類はミスがないね。たいしたものだ」
⇓「1週間で50件もまわることができたのか。先週より多くなったな。この調子で頑張ろう」
⇓「今日の議事録はよくまとめられていたよ」

年齢的に若く、経験的にも未熟な部下は、とにかく小さな成功を一つひとつほめて自信を持たせることが大切です。

上司から見れば、できて当たり前と思うような基本的なことでも、前と比べて改善した点があれば、こまめにほめましょう。

その際、過去の自分と比較しないことがポイント。だいたい、もともとよくできた人ほど、他人をほめるのが下手なものです。

僕のときはこうだったなど、もってのほか。自分を基準にして「こんなこと、できて当たり前だろう。俺は誰に教わらなくても、これくらいできたものだ」と言っていては、事態は改善しません。

部下が10できてほしいところを、5しかできなかったとしても、昨日は4しかできていなかったとしたら、それは前進したということ。

「今日は昨日より1割アップしたじゃないか」と、「できたところ」に着目するのです。

そうすることで、あなた自身の部下に対する態度も、そして気持ちも自然に変わっていくはずです。

ヒント 6

才能を伸ばす！部下の上手な叱り方

部長はなんであんな言い方しかできないのだろう……自分が部下であった頃は、上司の欠点ばかりが目につき、こんな上司にはなるまいと思っていたが、実際、自分に部下ができると、思うようにいかず、どのように指導すれば伸ばすことができるのか、悩みが尽きない……。

私が指導するセミナーでも、上司とのつき合い方と並んで常に質問が多いのが、部下への対応法です。

この項では、部下の叱り方で悩んでいる人のケースを紹介します。

Case11 何度も同じミスをする部下。思わず怒鳴りつけたくなることも……

同じようなミスを何度も繰り返す部下がいる。いい加減、仕事を覚えてほしいと思うのだが、何度指導しても改善しない。「バカ野郎！」と怒鳴りつけたくなることもあるが、そうもいかない。何と言って指導するのがいいか。

⇓「同じミスを繰り返すということは、何か理由があるのかな？」

⇓「ミスしてしまう原因は、何だと思う？」

部下の性格や実績などによって一概には言えませんが、同じようなミスを繰り返すのは、部下の心に余裕がない証拠かもしれません。

部下は無意識のうちに、プレッシャーや心の悩みを、ミスという形でメッセージとして発している場合もあります。

まずは「ミスしてしまう原因は、何だと思う？」と質問して、部下が発言する機会をつくりましょう。自分で気づけば、ミスはグッと減るはずです。

◎Case12 部下を叱ったら、ひどく落ち込んでしまった

仕事でミスをした部下を叱ったら、ひどく落ち込んでしまい、プレッシャーのせいか、最近は「どうせ、私は何をやってもダメなんです」と弱音を吐く。自分としてはそれほど厳しく当たったつもりはないが、会社の上層部からも、部下への指導がよくないのではないかと暗に言われてしまい、どうすればいいかわからない。

⇓「君のためと思っての発言だったが、やや一方的だったようだね。何とかしたいという気持ちが先走ってしまった。今後は、君が前進していくためには何が必要なのか、一緒に考えようじゃないか」

⇓「ちょっときつく言い過ぎたかな。すまなかった。今度から僕のほうも気をつける。君のほうも気持ちを入れ替えて頑張ってくれないか」

部下の状況にもよりますが、自分の言い過ぎた点は反省する、しかしそれは相手を思っての発言なのだから、前向きに頑張ってほしいと、率直に話したほうが、効果があります。

出張で訪れたある地方の神社に貼ってあった言葉です。

「人を育てる心こそ、己を育てる心なりけり」

人を育てることは難しいことです。まずは相手を思いやる自分の心を育て、相手の気持ちを動かすような言葉をかける。言葉一つで、相手の気持ちをも変えることができるのです。

「話」という字は、「言偏に舌」と書きます。「伝」という字は、「人に云う」と書きます。

話の「舌」は、「舌先三寸」「筆舌に尽くし難い」「舌打ち」など、その「言葉」を発する人の特徴や性格や人柄といった内面的な部分が、表面に浮かび上がってくるようなイメージです。

そして、その人の「伝え方」というのも、個々の「やり方」や「表現方法」が露呈する場面ではないでしょうか。

何が言いたいかというと、

「話は人なり」

ということです。

本書でもほとんどの部分が、誰もが日常頻繁に遭遇しそうな場面です。

「生活や仕事において困った場面」、「一歩抜きん出る方法」、「自分の持ち味を生かす術」、「周囲の人から信頼や協力を得るためのポイント」等々を取り上げました。
そして各場面において、「何が問題で」「なぜそれが問題なのか?」「さらに、その問題を解決するためには、どのような方法が考えられるのか!」を切り口に、具体的なフレーズ・言い回し・表現方法としての「良い例」・「悪い例」を挙げて解説してきました。

人はいつからでも変わることができます。
「話し方」「伝え方」という武器をもって、あなたの人生がより良い豊かなものへと変化することを信じております。

櫻井　弘

本書は、小社より刊行された単行本を、文庫収録にあたり加筆・改筆したものです。

櫻井　弘（さくらい・ひろし）
株式会社櫻井弘 話し方研究所代表
東京都出身。製薬、金融、サービス、IT関連等の民間企業をはじめ、人事院、各省庁、自治大学校などの官公庁、日本能率協会など各種団体でコミュニケーションに関する研修を手がけ、講演・研修先は1000以上の団体におよぶ。
人間力あふれるわかりやすい指導に定評があり、全国各地で人気を呼んでいる。
主な著書に、『図解「話す力」が面白いほどつく本』（三笠書房）、『「話す力」が面白いほどつく本』『仕事で「話す力」が面白いほどつく本』『面白いように「話し上手」になれる本』（以上、三笠書房《知的生きかた文庫》）、『マンガでわかる！雑談力』（宝島社）、などがある。

株式会社櫻井弘 話し方研究所
http://www.sakurai-hanashikata.com/

知的生きかた文庫

「話し方」「伝え方」ほど
人生を左右する武器はない！

著者　櫻井　弘
発行者　押鐘太陽
発行所　株式会社三笠書房
〒一〇二-〇〇七二　東京都千代田区飯田橋三-三-一
電話〇三-五二二六-五七三四〈営業部〉
〇三-五二二六-五七三一〈編集部〉
https://www.mikasashobo.co.jp
印刷　誠宏印刷
製本　若林製本工場

ISBN978-4-8379-8655-3 C0130

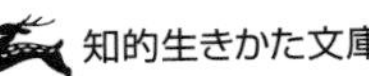

「話す力」が面白いほどつく本

櫻井 弘

「話し上手」になるのは、こんなに簡単なこと！　「言葉づかい」や「言い回し」のちょっとしたコツをつかめば、話しベタと思っている人でも、簡単に「話す力」を武器にできる！

頭のいい説明「すぐできる」コツ

鶴野充茂

「大きな情報→小さな情報の順で説明する」「事実＋意見を基本形にする」など、仕事で確実に迅速に「人を動かす話し方」を多数紹介。ビジネスマン必読の1冊！

なぜかミスをしない人の思考法

中尾政之

「まさか」や「うっかり」を事前に予防し、時にはミスを成功につなげるヒントとは――「失敗の予防学」の第一人者がこれまでの研究成果から明らかにする本。

できる人の語彙力が身につく本

語彙力向上研究会

あの人の言葉遣いは、「何か」が違う！「舌戦」「仄聞」「鼎立」「不調法」「鼻薬を嗅がせる」「半畳を入れる」……。知性がきらりと光る言葉の由来と用法を解説！

時間を忘れるほど面白い雑学の本

竹内 均【編】

1分で頭と心に「知的な興奮」！　身近に使う言葉や、何気なく見ているものの面白い裏側を紹介。毎日がもっと楽しくなるネタが満載の一冊です！

C50393